4

Rouge

Rosi McNab
David Crossland

Heinemann Educational Publishers,
Halley Court, Jordan Hill, Oxford OX2 8EJ
a division of Reed Educational & Professional Publishing Ltd

MELBOURNE AUCKLAND FLORENCE PRAGUE MADRID ATHENS SINGAPORE TOKYO SAO PAULO CHICAGO PORTSMOUTH (NH) MEXICO IBADAN GABORONE JOHANNESBURG KAMPALA NAIROBI

First published 1995

A catalogue record is available for this book from the British Library on request

ISBN 0-435-37447-8

Produced by **AMR** Ltd

99 98 97
10 9 8 7 6 5

Illustrations by Sue Billetop, David Birdsall, Josephine Blake, Phillip Burrows, Julie Chapman, Jon Davis, Helen Herbert, Jane Jones, Patricia Moffat, Bill Piggins, Jane Spencer, Stan Stevens, Charles Whelon

Printed by Edelvives

Cover photo provided by Tony Stone Worldwide

Acknowledgements

The authors would like to thank Jacques Debussy, Elise and Jean-Paul Jolivet, Sam Atkinson, the directors and staff of the Société Ozona and of the Hôtel Ibis, Rouen, Nathalie Barrabé and the pupils of the Atelier Théâtre, Rouen, for their help in the making of this course.

The authors and publishers would like to thank the following for permission to reproduce copyright material:

Amnesty International p.117 logo; © **Bayard Presse International** 1994 pp.46–7 text extracts and photograph of De Wilde from OKAPI No.532; p.80 shortened article from OKAPI No.532; p.127 shortened article from OKAPI No.533; © **Bayard Presse International** 1993 pp.24–5 survey questions and results by IFOP from OKAPI No.534, pp.128–9 facts about TV channels and audience figures (source CSA) from Phosphore Dec. 93; **Office de tourisme de Besançon** p.68 Besançon tourist information, pp.104–5 map of Besançon; **Crédit Commercial, Rouen** p.98 exchange rates table; **Croix-Rouge française** p.117 logo; **Editions Dupuis** 1991 pp.14–15, p.62, pp.138–9 cartoons from *Germain et nous 2*; **Editions Gallimard** p.87 poem 'Déjeuner du matin' from *Paroles* by Jacques Prévert; **Gwen Howell Management** p.19 text and photo of the Cann sisters; **Médecins sans frontières** p.117 logo; **Nestlé Rowntree** p.51 translated extracts from Sweet Facts; **Office de tourisme de Paris** pp.100–1 map of central Paris; **This Month in Oxford** p.151 advertisements and detail from map of Oxford; **Office du tourisme et du thermalisme d'Yverdon** p.69 poster, p.150 hotel listings and map of Yverdon

Photographs were provided by:

Allsport p.112 parapente (Vandystadt), saut; **Ardea** p.46 loups (Liz Bomford), p.47 jaguar; **Famille Barrabé** p.30; **Anthony Blake** p.93 (Photothèque culinaire); **Claude Bousquet** p.108 hypermarché; **Campagne Campagne** p.67 Grenoble (Gouilloux), pp.100–1 Roissy (Bird), égouts (Mondout), Pigalle (Saudade), pp.144–5 no.1 (Perrodin), no.2 (Le Naviose), no.4 (Huguet); **Jacques Debussy** p.26, p.34, p.65; **Keith Gibson** p.7, p.44 en bas; **Ronald Grant Archive** p.18 Renoir, p.131, p.132; **Elise Jolivet** p.48, p.50; **Life File** p.4 no.2 (Mike Evans), p.9 (Andrew Ward), p.12 (David Thompson), p.38 (Mark Hibbert), p.44 en haut (Dave Thompson), p.46 aigle (Paul Richard), otaries, p.70 grizzli (Dr R. Cannon); **Mary Evans Picture Library** p.18 Curie, p.19 Montgolfier; **Jacqui Matthews/Gwen Howell Management** p.19; **Nestlé Rowntree** p.49; **Gouvernement du Québec** p.71 Québec, p.77; **Rex Features** p.134; **Chris Ridgers** p.4 nos 4 & 6, p.10, p.11, p.16, p.20, p.24, p.35, p.40, p.42, p.45, pp.52–3, p.68, p.78, p.92, pp.104–5, p.120, p.140, pp.144–5 no. 3, p.148; **Small Print** p.23 no.3 (Anna Samuels), no.4 (S.J. Laredo), p.47 zèbres (S.J. Laredo), p.67 Bruxelles (R. Laredo), p.96 (N.A. Laredo), pp.100–1 Opéra (N.A. Laredo), p.108 alimentation (N.A. Laredo), p.124 (Jon Reed); **SSM** p.112 surf (Reichenfeld 1994); **Office du Tourisme et du Thermalisme d'Yverdon-les-Bains** p.69 (Jean-Luc Iseli). Remaining photographs are by Rosi McNab and Heinemann Educational Books.

Table des matières

*(*Letters refer to Areas of Experience)*

1 Choisir sa voie

A Qu'est-ce qu'on peut faire dans la vie?

1a C'est quel métier?

agriculteur/trice
cuisinier/ière
horticulteur/trice
instituteur/trice
maçon
mécanicien(ne)
médecin
photographe
secrétaire
serveur/se
surveillant(e) de baignade
vétérinaire

1b A deux: Faites des recherches. Trouvez cinq autres métiers.

Exemple: *A:* Comment dit-on 'fireman' en français?
B: Je ne sais pas. Il faut le chercher dans le petit dico.

1c Ecoute: Que font-ils dans la vie? Quel est le métier de chaque personne? (1–8)

1d Lis: C'est quel métier? **Exemple:** 1 Il/Elle est agriculteur/trice.

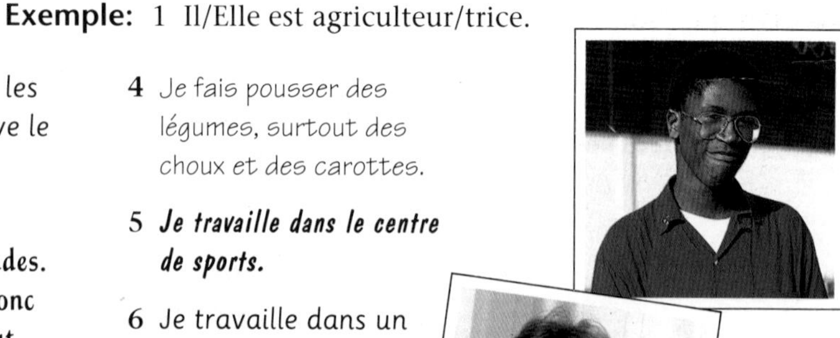

1 Je travaille dans les champs. Je cultive le maïs et j'ai des vaches.

2 Je soigne des malades. Je suis pédiatre, donc je m'occupe surtout des enfants malades.

3 Je fais des photos des mariages et pour la presse aussi.

4 Je fais pousser des légumes, surtout des choux et des carottes.

5 *Je travaille dans le centre de sports.*

6 Je travaille dans un bureau. Je tape les lettres sur un ordinateur et je réponds au téléphone.

2a A deux: A votre avis, quelles sont les qualités nécessaires pour ces métiers?

Exemple: *A:* Quelles sont les qualités nécessaires pour être instituteur?
B: Pour être instituteur, il faut avoir le sens de l'humour ...

il faut	avoir	la vocation/le sens de l'humour de l'ambition/du courage/de l'énergie/de la force/de l'imagination
	être	adroit(e)/calme/charmant(e)/organisé(e)/patient(e)
	aimer	la mode/la solitude/le travail manuel travailler avec des machines/des ordinateurs/les autres/les personnes âgées voyager

2b Ecris: Fais une liste de dix métiers et trouve deux qualités nécessaires pour chacun.

2c A deux: Choisis deux métiers et prépare trois phrases sur chacun. Ton/Ta partenaire doit deviner le métier. S'il/Si elle devine au bout d'une phrase, il/elle marque trois points; au bout de deux phrases, deux points; et au bout de trois phrases, un point.

Exemple: Il faut avoir la vocation. On travaille dans un cabinet médical. On s'occupe des gens malades.

On travaille ...
à la ferme en ville sur un chantier dans un atelier un cabinet médical un centre de sports une clinique une grande surface un studio

3a Ecoute: Quels sont les avantages et les inconvénients de chaque métier? (1–8)

3b Positif ou négatif? Mets les expressions dans les deux catégories.

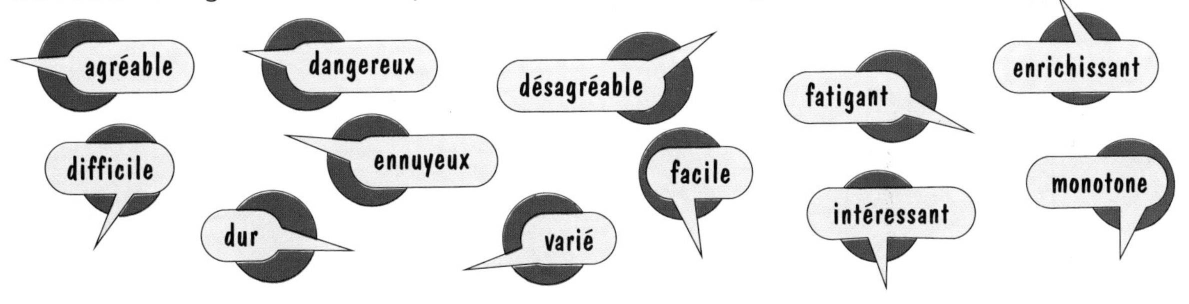

3c Ecris un résumé des avantages et inconvénients des huit métiers.

Exemple: Le travail d'agriculteur est agréable, parce qu'on peut travailler en plein air. Mais il est dur, parce qu'on doit travailler en dehors des heures normales.

Le travail de/d'... est agréable/difficile/dur/...		
... parce	qu'il faut qu'on doit qu'on peut	travailler à l'extérieur/à l'intérieur/en plein air/dans un atelier/... travailler en dehors des heures normales (= *unsocial hours*)/ à mi-temps/quand on veut faire les quarts (= *work shifts*)
	que/qu'	il (n')y a (pas) beaucoup de vacances/de jours de congé c'est/ce n'est pas bien payé les horaires/les études (ne) sont (pas) long(ue)s

4a Dans quel secteur veulent-ils travailler?

1. Je voudrais travailler avec les personnes âgées.
2. Je suis fort en informatique et je veux travailler avec des ordinateurs.
3. Je veux travailler dans un bureau.
4. Je m'intéresse à la beauté et au maquillage.
5. Je ne sais pas, mais je veux travailler manuellement avec des machines.
6. Je voudrais travailler dans une entreprise de travaux publics.
7. Je veux être vendeuse dans une grande surface.
8. Je veux travailler dans le théâtre.
9. J'aime les enfants. Je voudrais être institutrice.
10. J'aime beaucoup cuisiner.
11. Je veux être plombier.
12. J'aime bricoler les voitures.

Flash info

Verbe: vouloir

présent:	je veux	*imparfait:*	je voulais
	tu veux	*passé composé:*	j'ai voulu
	il/elle veut	*futur:*	je voudrai
	nous voulons	*conditionnel:*	je voudrais
	vous voulez		
	ils/elles veulent		

4b Ecoute: Dans quel(s) secteur(s) devraient-ils travailler? (1–6) Donne des conseils!

Exemple: Marc/Jeanne devrait travailler dans le secteur... parce qu'il/elle...

5a Une interview: Trouve la bonne réponse à chaque question.

1 Quel métier avez-vous choisi?
2 Vous travaillez où?
3 Quelles qualités sont nécessaires pour ce métier?
4 Quelles sont vos horaires de travail?
5 Quels sont les avantages et les inconvénients de ce métier?
6 Vous aimez votre métier?
7 Combien de temps faut-il pour apprendre ce métier?

A *Ma journée commence à huit heures du matin et je finis à dix-huit heures. Je fais 39 heures par semaine, comme un ouvrier normal.*
B *Il faut être adroit. C'est un travail manuel. Il faut comprendre comment marche un moteur.*
C *Je travaille dans un atelier.*
D *Je suis apprenti mécanicien.*
E *Les études ne sont pas longues. Il faut avoir un CAP de mécanique. On le prépare en deux ans après le collège comme apprenti chez un employeur.*
F *Oui, j'aime bricoler sur les voitures, mais les horaires sont pénibles, et nous avons beaucoup moins de vacances qu'au collège.*
G *Le travail est dur, et on a toujours les mains sales. Même quand on les a lavées, elles sont toujours noires. Mais le travail est intéressant et varié.*

5b Choisis un métier. Ecris un paragraphe sur ce métier et prépare un petit discours:

- Dans quel secteur veux-tu travailler? Pourquoi?
- Quelles qualités faut-il avoir?
- Quels sont les avantages et les inconvénients de ce métier?

Exemple: Je veux travailler dans le secteur information, parce que je voudrais travailler avec des ordinateurs. Pour faire ce métier, il faut être intelligent ...

5c Ecoute: Quand j'étais petit(e) ... Qu'est-ce qu'ils voulaient faire? (1–6)

5d Est-ce que tu voulais faire un métier particulier quand tu étais petit(e)?

Exemple: Quand j'étais petit(e), je voulais toujours être pilote.

Jeu-test: Es-tu un(e) bon(ne) européen(ne)?

A Combien de ces pays sont en Europe? Lesquels?

1 l'Afghanistan *(m)*	11 le Canada	21 la Hongrie	31 le Pakistan
2 l'Algérie *(f)*	12 la Colombie	22 l'Irlande *(f)*	32 les Pays-Bas
3 l'Allemagne *(f)*	13 le Danemark	23 l'Italie *(f)*	33 la Pologne
4 l'Andorre *(f)*	14 l'Espagne *(f)*	24 la Jamaïque	34 le Portugal
5 l'Argentine *(f)*	15 les Etats-Unis	25 le Japon	35 la Russie
6 l'Autriche *(f)*	16 la Finlande	26 le Luxembourg	36 le Royaume-Uni
7 la Belgique	17 la France	27 le Malawi	37 la Suède
8 la Bolivie	18 la Grèce	28 la Martinique	38 la Suisse
9 le Burkina Faso	19 la Guadeloupe	29 le Mexique	39 la Tunisie
10 le Cameroun	20 le Guatemala	30 la Norvège	40 la Turquie

B Voici les drapeaux de quelques pays européens. De quels pays s'agit-il?

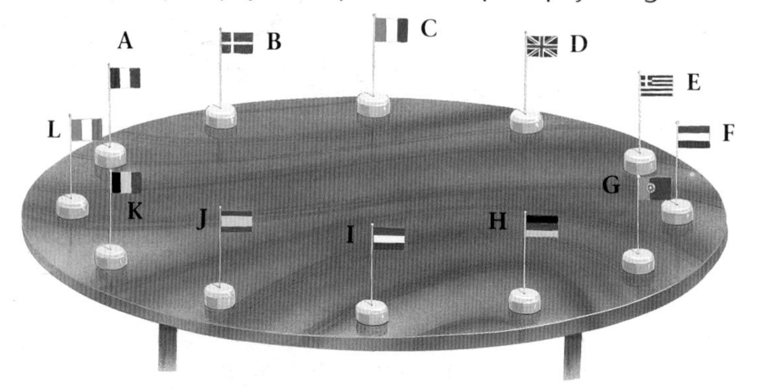

L'Union européenne

Trois grandes institutions dirigent l'UE:

La Commission

Composée de commissaires nommés pour 4 ans par les gouvernements des pays membres, elle propose ses décisions au Conseil et les exécute quand elles sont prises.

Le Conseil

Composé de ministres représentant chaque Etat, il prend les décisions.
Il y a aussi un conseil des chefs d'Etats.

Le Parlement

Formé de députés élus par les citoyens de l'UE. Il contrôle la Commission et le budget, et donne son avis sur les décisions à prendre.

C C'est quelle langue?

l'allemand	le français	l'irlandais
l'anglais	le gallois	l'italien
le danois	le grec	le portugais
l'espagnol	le hollandais	

1. Glædelig Jul og Godt Nytår
2. Frohe Weihnachten und ein Gutes Neues Jahr
3. Feliz Navidad y Próspero Año Nuevo
4. Καλά Χριστούγεννα και Καλή Χρονιά
5. Merry Christmas and a Happy New Year
6. Joyeux Noël et Bonne Année
7. Nollaig Faoi Shéan agus Athbhliain Faoi Mhaise
8. Buon Natale e Felice Anno Nuovo
9. Nadolig Llawen a Blwyddyen Newydd Dda
10. Prettig Kerstfeest en Gelukkig Nieuwjaar
11. Feliz Natal. Bom Ano Novo

D L'Europe la nuit: Peux-tu trouver ces grandes villes sur la carte? Dans quels pays sont-elles?

Exemple: Berlin est en Allemagne.

Athènes
Berlin
Bruxelles
Copenhague
Dublin
Lisbonne
Londres
Lyon
Madrid
Marseille
Milan
Munich
Paris
Rome

Flash info

Avec un nom de pays	féminin	on utilise	**en:**	en France, en Ecosse
	masculin		**au:**	au Luxembourg, au Pays de Galles
	pluriel		**aux:**	aux Antilles, aux Pays-Bas
et devant un nom masculin qui commence par une voyelle		on utilise	**en:**	en Afghanistan

E Le savez-vous?

Quelle est la bonne réponse?

1 Le Marché Commun date de
a 1937 **b** 1947 **c** 1957.

2 Il y avait **a** 5 **b** 6 **c** 8 pays dans le Marché Commun à sa fondation.

3 La fondation du Marché Commun a été signée à
a Paris **b** Bruxelles **c** Rome.

4 Le siège de la Commission de l'UE se trouve à
a Paris **b** Strasbourg **c** Bruxelles.

5 Le Royaume-Uni est membre de l'UE depuis
a 1973 **b** 1983 **c** 1993.

6 Le pays le plus grand de l'UE est
a l'Espagne **b** la France
c l'Allemagne.

7 Le pays qui a le plus grand nombre d'habitants est
a l'Italie **b** le Royaume-Uni
c l'Allemagne

8 Le pays le plus petit est
a les Pays-Bas **b** le Luxembourg
c le Danemark.

F C'est dans quel pays de l'UE?

Magazine 1

B Quelle sorte de personne es-tu?

1a L'emploi du temps:
Fais une liste des matières.

1b Ecoute: Quelles matières a Mélisse? Rédige son emploi du temps.

1c Quelles matières as-tu? Rédige ton emploi du temps.

2a Ecoute: Quelles sont les matières qu'ils aiment et celles qu'ils n'aiment pas? (1–6)

2b A deux: Quelles sont les matières que vous aimez et que vous n'aimez pas?

J'aime ...	parce que	c'est intéressant/ utile/ facile ... le/la prof est marrant(e)/sympa/ ...
Je n'aime pas ...		c'est peu intéressant/ ennuyeux/difficile ... le/la prof est sévère/nul(le)/ ...
Je suis fort(e) en ...		

2c Classe les matières que tu fais par ordre d'importance. Commente ta liste avec un(e) partenaire. D'accord ou pas?

Je trouve que	la matière la plus/moins importante est ...
	l'histoire/... est plus/moins important(e) que ...
	les maths/... sont plus/moins important(e)s que ...

2d Choisis une question et fais un sondage dans la classe.

Comment trouves-tu ...?

Quelle est la matière la plus difficile?

Quelle est la matière que tu n'aimes pas?

Quelle est ta matière préférée?

Selon toi, quelles sont les deux matières les plus importantes?

Rédige le rapport de tes résultats.

J'ai trouvé que/qu'	la plupart des élèves 50% des élèves il y a 5 élèves qui	aiment/n'aiment pas ... trouvent que ... préfèrent ...
	personne	n'aime/ne trouve que ...

3a Quelle sorte de personne est Christophe?

Exemple: Il aime … . Il n'aime pas …
Il préfère … . Il est fort en …
Il voudrait …

Nom: Christophe Barrant

Vous préférez travailler … ?

à l'extérieur — à l'intérieur: usine ; bureau ; (atelier) ; cuisine ; hôtel ; autre ……

(seul(e)) — avec les autres

avec des machines ; des ordinateurs ; autre ……

avec les enfants de bas âge ; les jeunes ; les personnes âgées ; le public ;

les malades ; les animaux ; autre ……

Cochez la bonne case.

Vous avez beaucoup de/d':				Vous avez peu de/d':
imagination	✓			imagination
confiance			✓	confiance
initiative		✓		initiative
sens pratique			✓	sens pratique
sens artistique	✓			sens artistique

Vous êtes:				
bavard(e)			✓	plutôt silencieux/se
ouvert(e)		✓		timide
adroit(e)	✓			maladroit(e)
créatif/ve	✓			peu créatif/ve
sportif/ve			✓	sportif/ve

Je suis fort(e) en dessin

Je n'aime pas français et musique

3b Ecoute: Remplis la fiche pour Corinne.
Quelle sorte de personne est-elle?

Exemple: Elle aime ... . Elle n'aime pas ...
Elle préfère ... . Elle est forte en ...
Elle voudrait ...

3c Quelle sorte d'emploi est-ce que tu conseillerais à Christophe et à Corinne?

Christophe/Corinne devrait être .../travailler dans le secteur ...	
parce qu'il/elle	est bavard(e)/fort(e) en .../... a le sens de l'humour/beaucoup d'imagination/... préfère travailler dans/avec .../...

3d Remplis la fiche pour toi-même.
Echange ta fiche avec un(e) partenaire.
Quel métier est-ce que tu lui conseillerais?

4 Trouve un emploi pour Philippe.

CURRICULUM VITAE

Nom: Guignard
Prénom: Philippe
Nationalité: Français
Age: 18 ans
Adresse: 20, rue Marie Curie, 63500 Nevers
Situation de famille: célibataire

Etudes: Collège Verlaine, Nevers

Qualifications: BEP hôtellerie

Expérience professionnelle: Stage de standardiste/réceptionniste dans un hôtel

Langue(s) étrangère(s): anglais

Loisirs: tennis; cyclisme; lecture; cinéma

BEP = Brevet d'études professionnelles

Dans le cadre de son développement

SOCIETE HOTELIERE

région de Besançon recherche

2 APPPRENTIS CUISINIERS
1 EMPLOYE(E) DE BUREAU

Connaissance de l'anglais appréciée
Formation BEP exigée
Envoyer lettre, CV, photo

sys-chaud

Société spécialisée dans la GESTION D'ÉNERGIE

recherche

TECHNICIEN(NE) CHAUFFAGISTE

Expérience souhaitée
Niveau BEP, BAC ou tout autre formation similaire
Envoyer C.V. à *sys-chaud*

SOCIETE IMPORTANTE REGIONALE

recherche

SECRETAIRE COMMERCIALE

Ayant :
— connaissances informatique
— le sens de l'organisation
— une grande adaptabilité

Envoyer C.V. manuscrit + photo

Famille française cherche **JEUNE FILLE OU GARÇON AU PAIR** pour parler anglais à enfant de six ans. Nanterre (Paris, banlieue). Petits travaux ménagers demandés. Envoyer CV à Mme Broumont, 6 av des Cerisiers, Nanterre 92400.

SOCIÉTÉ DE MEUBLES

recherche

ARTISTE GRAPHIQUE CREATIF/VE

Formation arts appliqués
Doué/e d'un bon sens artistique
Ecrire à BP 192
Montbéliard, no. 2293.06

Société de travail temporaire pour région Franche-Comté, Alsace, Jura recherche

OUVRIERS AGRICOLES

basés dans le Doubs

Références exigées.
Téléphoner au 81.92.03.00

5 Prépare et enregistre une présentation de toi-même: ton nom, ton âge, tes qualités, le genre de travail que tu voudrais faire, et pourquoi.

Exemple: Je m'appelle ...
Je suis né(e) le ...
J'habite ...
Je suis ... (qualités).
Je suis fort(e) en ...
Je voudrais ... , parce que ...

Flash info

Verbe: être

présent:	je suis	*imparfait:*	j'étais
	tu es	*passé composé:*	j'ai été
	il/elle est	*futur:*	je serai
	nous sommes	*conditionnel:*	je serais
	vous êtes		
	ils/elles sont		

C'est pas bientôt fini, ce silence?

Je bouquine 1

C Tel père, tel fils (Telle mère, telle fille)

1a Ecoute: Trouve les dessins qui correspondent.

1b A deux: Vous étiez comment quand vous étiez petit(e)s?

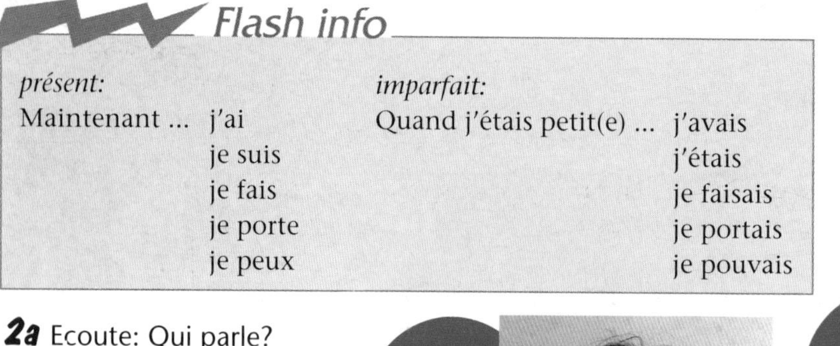

Flash info

présent:		*imparfait:*	
Maintenant ...	j'ai	Quand j'étais petit(e) ...	j'avais
	je suis		j'étais
	je fais		je faisais
	je porte		je portais
	je peux		je pouvais

2a Ecoute: Qui parle?

2b Ecoute une deuxième fois: Les six jeunes, à qui ressemblent-ils?

Exemple: Didier ressemble à son/sa ...

(Physiquement,)	je il elle	ressemble (un peu) à ... ne ressemble pas à ... ne ressemble à personne de ma/sa famille

3a Regarde les photos des familles. Est-ce que tu trouves des ressemblances?

Exemple: Dans la première photo, le fils ressemble un peu à sa mère: ils ont tous les deux les cheveux blonds et les yeux bleus.

3b Et toi? Ressembles-tu physiquement à quelqu'un de ta famille? A qui?

4a Lis la lettre et fais un résumé en anglais.

Tu me demandes à qui je ressemble. Eh bien, physiquement, à mon avis, je ne ressemble à personne de ma famille. Pourtant, maman dit que je lui ressemble un peu. Je ne suis pas d'accord! Mais quand j'étais beaucoup plus jeune, j'avais les cheveux blonds et bouclés comme elle. En ce qui concerne mon caractère, je suis un peu comme maman et un peu comme mon père. Comme maman, je suis très calme, plus ou moins patiente et je ne me fâche jamais. Même avec mon petit frère! Mon père est très drôle, il a le sens de l'humour. Moi, j'aime bien rire aussi, donc je suis comme lui. Il est très sportif, moi aussi. Je sais que je ne ressemble pas du tout à mon petit frère, qui s'énerve vite et qui n'a pas de patience. Et toi, ressembles-tu à quelqu'un de ta famille?

4b Et ton caractère? Es-tu comme quelqu'un de ta famille? Ecris une réponse à la lettre.

Bien connus, tous les deux!

PIERRE AUGUSTE et JEAN RENOIR (père et fils)

PIERRE AUGUSTE RENOIR était peintre au 19e siècle. Ses peintures impressionnistes (par exemple, *La Loge* et *Le Vase de Chrysanthèmes*) sont connues dans le monde entier. Quand il était enfant, il travaillait dans une usine qui fabriquait la porcelaine: là, il peignait les dessins sur la porcelaine.

Son fils JEAN était céramiste pendant un certain temps, avant de devenir cinéaste. Dans les années 20, il a commencé à tourner des films; certains étaient fantaisistes, d'autres plutôt réalistes.

LA FAMILLE CURIE

PIERRE et MARIE CURIE étaient tous les deux très connus pour leurs recherches en physique. Ils ont découvert deux éléments chimiques: le radium et le polonium. Ils ont partagé le prix Nobel en 1903. Marie était la première femme ayant reçu ce prix prestigieux.

Les Curie ont eu deux filles: IRENE JOLIOT-CURIE à qui on a donné le prix Nobel de chimie, et EVE qui est devenue musicienne et auteur, et qui a travaillé aux Etats-Unis pour la Résistance française pendant la deuxième guerre mondiale.

5a Lis bien les textes. Cherche les mots inconnus.

5b A deux: Pour chaque texte, trouvez deux ressemblances familiales. Comparez vos réponses avec deux autres partenaires.

LES FRERES MONTGOLFIER

Ce sont les deux frères JOSEPH et ETIENNE DE MONTGOLFIER, nés à Annonay dans l'Ardèche, qui ont inventé la montgolfière. Ils l'ont exposée devant le roi Louis XVI et la reine Marie-Antoinette en 1783. Les premiers passagers étaient un canard, un coq et un mouton.

DUMAS PERE ET FILS

ALEXANDRE DUMAS PERE, né en 1802, écrivait des romans et des pièces de théâtre. Il est toujours très connu pour ses romans historiques *Les Trois Mousquetaires* et *Le Comte de Monte-Cristo*. Il a produit plus de 1200 oeuvres, mais avec l'aide d'un groupe d'écrivains loués pour l'assister!

ALEXANDRE DUMAS FILS, son enfant illégitime, écrivait aussi des romans mais plutôt des pièces de théâtre.

LES SOEURS CANN

Les jumelles CLAIRE et ANTOINETTE CANN sont deux pianistes mondialement connues pour leur exécution d'oeuvres musicales à deux pianos et en duo. Quand elles étaient très jeunes, les jumelles possédaient un langage privé bien à elles. Elles étaient inséparables à l'école où on leur a découvert un Q.I. (quotient intellectuel) identique. Le piano les fascinait avant même d'avoir leur première leçon à l'âge de cinq ans, ce qui est compréhensible puisque leur trisaïeule avait eu Franz Liszt comme professeur. Elles ont appris aussi toutes les deux à jouer de la trompette et du violon. Elles ont fait leurs études au Collège Royal de Musique. Elles ont donné des concerts et fait des émissions non seulement dans toute l'Europe mais aussi aux Etats-Unis, au Canada, au Japon et en Nouvelle-Zélande.

6 Fais des recherches: Trouve des renseignements sur deux autres familles. Par exemple:

PIERRE ET CAMILLE CLAUDEL

NAPOLEON I ET NAPOLEON III

JOHN ET JULIAN LENNON

Note les détails les plus frappants et écris-les en français.

2 Au collège

A Un portrait du collège

1a Un portrait du collège: Thomas répond aux questions. Ecoute et note les réponses.

1 Comment s'appelle ton collège?

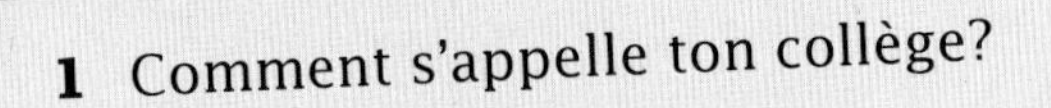

2 Il y a combien d'élèves?

3 Tu es en quelle classe?

En troisième

4 Le collège commence à quelle heure?

5 Et finit à quelle heure?

6 Tu as combien de cours par jour?

7 Est-ce que tu manges au collège? (C'est bon ou pas?)

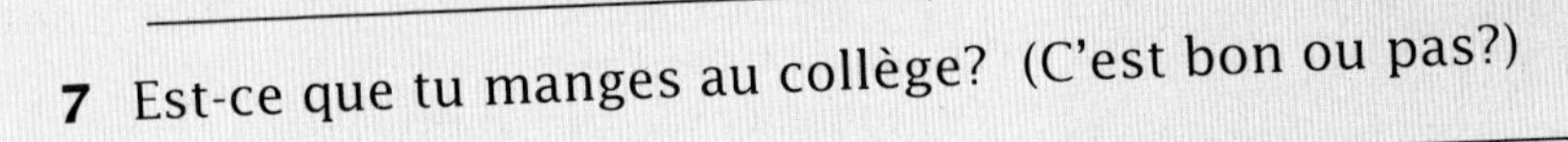

8 Les récrés durent combien de temps?

9 Combien d'heures de devoirs dois-tu faire par jour?

10 Quelles matières as-tu?

11 Quelles autres matières est-ce qu'on peut étudier?

12 Quels examens peut-on passer?

13 Qu'est-ce que tu vas faire après le collège?

14 Qu'est-ce que tu aimes et n'aimes pas au collège?

1b Prépare et enregistre tes réponses aux mêmes questions.

Exemple: Mon collège s'appelle ...

1c C'est où, en France ou chez toi? Ecris deux listes.

Exemple: En France ... Chez nous ...

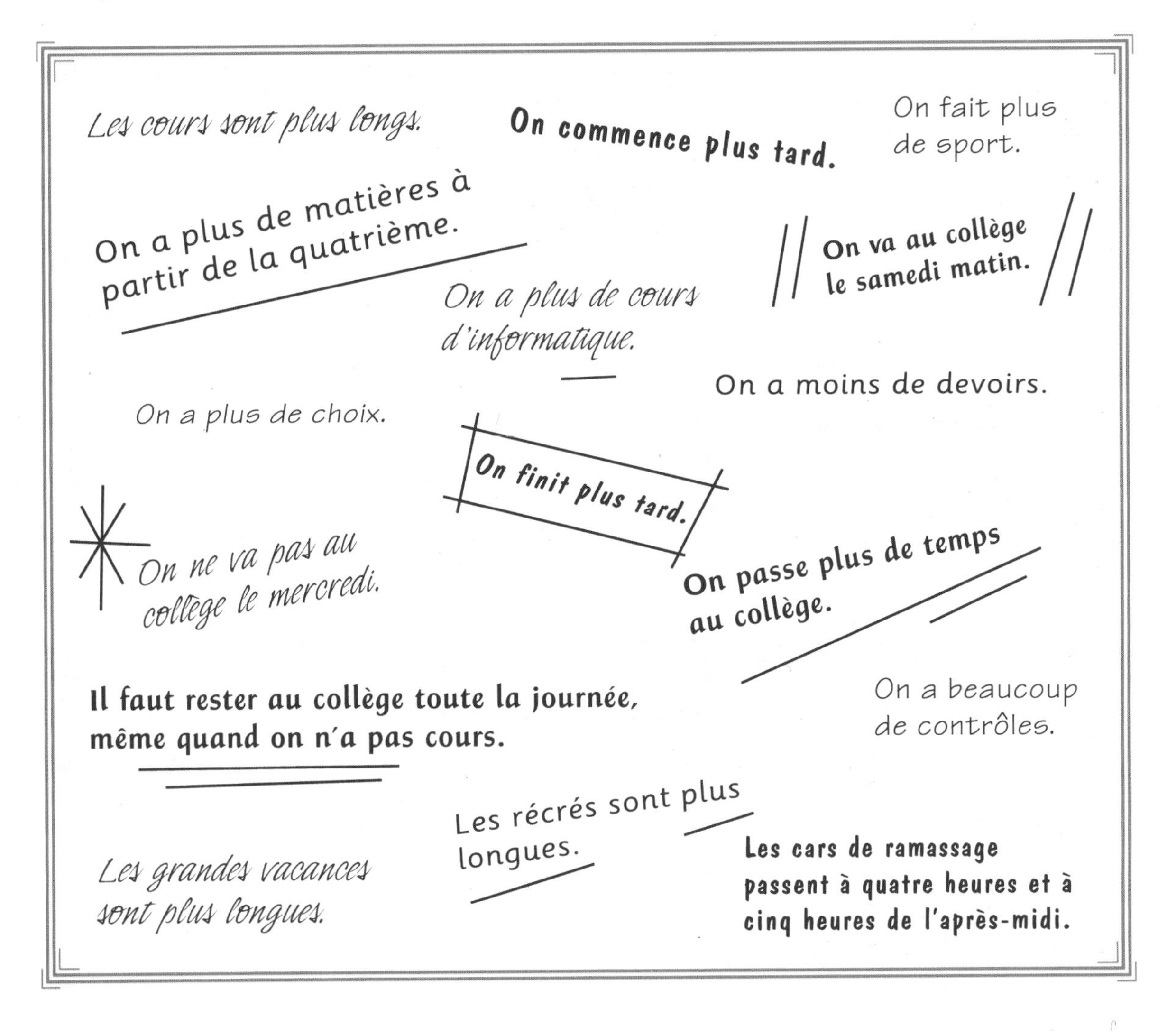

1d Fais une comparaison entre le collège en France et chez toi. Lequel préfères-tu? Pourquoi?

Exemple: En France, on commence normalement à huit heures; chez nous, ...
Je préfère le système français, parce que j'aime commencer tôt.

1e Fais une description de ton collège pour Thomas. Tape-la à l'ordinateur. Echange des informations avec un collège en France.

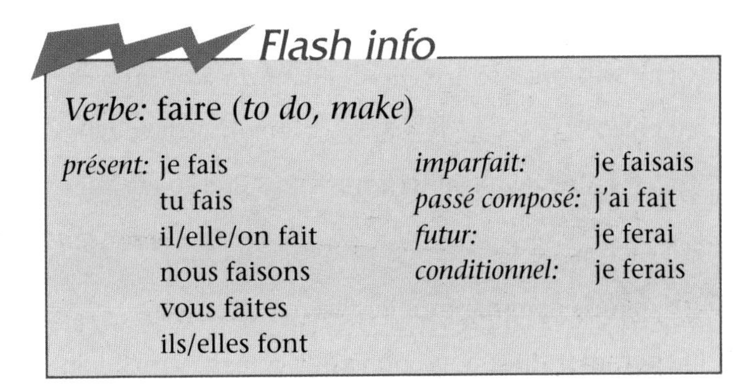

Flash info

Verbe: faire (*to do, make*)

présent:	je fais	*imparfait:*	je faisais
	tu fais	*passé composé:*	j'ai fait
	il/elle/on fait	*futur:*	je ferai
	nous faisons	*conditionnel:*	je ferais
	vous faites		
	ils/elles font		

2a Le système scolaire en France

Ecole maternelle			2–6 ans

↓

Ecole primaire	Cours préparatoire (CP)		6–7 ans
	Cours élémentaire	1re année (CE1)	7–8 ans
		2me année (CE2)	8–9 ans
	Cours moyen	1re année (CM1)	9–10 ans
		2me année (CM2)	10–11 ans

↓

Collège d'enseignement secondaire (CES)	sixième	11–12 ans
	cinquième	12–13 ans
	quatrième	13–14 ans
	troisième	14–15 ans
EXAMEN: le BEPC		

Lycée

seconde (1 ou 2 ans)	15–16/17 ans
première	16–17/18 ans
terminale	17–18/19 ans

EXAMEN: le Bac (général ou technique)

Centre de formation d'apprentis (CFA)

On fait des études théoriques et pratiques et des stages.

EXAMEN: le CAP

BEPC = Brevet d'études du premier cycle
CAP = Certificat d'aptitude professionnelle
BAC = Baccalauréat (examen donnant le droit d'entrée à l'université)

2b Copie et remplis le texte.

En France les enfants vont à ____________________ dès l'âge de ______ ans.

A l'âge de ______ ans ils vont à ____________________ . Ils sont alors en ______________ .

A l'âge de ______ ans ils vont au ______________ et ils sont en ______________.

A l'âge de _______ou ______ ans ils passent le ________ et ils choisissent leur orientation.

On peut continuer ses études dans un lycée et passer le ________, l'examen qui permet l'entrée à __________________ , ou on peut choisir de suivre un apprentissage, c'est-à-dire de travailler à mi-temps et de continuer ses études en même temps dans un ______________________ , où les études sont moitié théoriques, moitié __________________ .

2c Explique comment est le système chez toi.

Exemple: Chez nous, on va à l'école maternelle ou 'play school' dès l'âge de ... ans.

3 Le collège dans le monde. Devine: C'est dans quel pays?

Je crois que c'est en/au/aux ...	parce que/qu'	les enfants portent un uniforme il fait chaud/froid on voit des palmiers/... il y a ... c'est dans un pays où ...

Le Collège

Vous y passez environ 30 heures par semaine!
Comment voyez-vous le collège?

1 Vous levez-vous facilement le matin pour aller au collège?

2 Comment allez-vous au collège?

3 Combien de temps mettez-vous pour aller au collège?

4 Votre prof idéal est-ce un homme ou une femme?

Quelle est la première qualité d'un(e) bon(ne) prof?

5 Que faites-vous pendant les récrés?

6 Combien de temps consacrez-vous au travail scolaire?

7 Comment vous sentez-vous au collège?

8 A quoi vous fait penser votre collège?

A une grande famille, une colonie de vacances, une prison, une ruche, un village, un labyrinthe, une entreprise, une gare ou un hôtel?

9 Et si vous donniez une note à votre collège?

0–2 nul!	6–8 pas mal
3–5 peut mieux faire	9–10 génial!

une ruche

A Réponds aux questions.

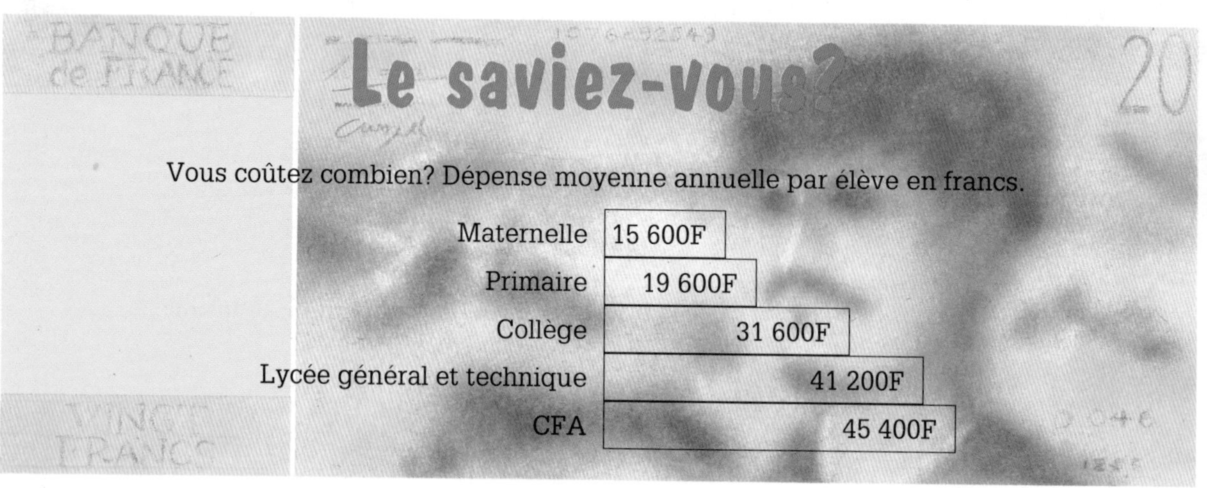

B D'accord ou pas? Compare tes réponses!

Les résultats d'un sondage réalisé en France par l'IFOP (Institut français d'opinion publique et d'études de marché) ont donné les résultats suivants:

1 Selon le sondage, la plupart (60%) des élèves ont déclaré pouvoir se lever sans difficulté. (Les parents sont-ils du même avis?)

2 Le moyen de transport le plus utilisé pour aller au collège ... c'est la marche à pieds! Puis c'est la voiture (31%) et seulement 8% utilisent un deux-roues.

3 Pour la plupart, aller au collège ne prend pas bien longtemps, un petit quart d'heure, mais pour ceux qui habitent dans les petites communes rurales et qui y vont en car de ramassage, le trajet moyen dure 24 minutes.

4 Pour la plupart, c'est une prof de 30 ans qui tutoie les élèves. 42% des garçons préfèrent un homme et 37% préfèrent une femme; 18% des filles préfèrent un homme et 66% préfèrent une femme.

La première qualité d'un(e) bon(ne) prof, c'est savoir parler et expliquer, et puis ... se faire respecter et bien connaître sa matière.

5 Pendant la récré, 6% jouent, 7% font du sport (surtout les garçons), 12% révisent ou finissent leurs devoirs (surtout les filles), seulement 2% admettent qu'ils s'intéressent au sexe opposé, et pour 71% c'est la discussion avec les copains qui occupe la récré. (Peut-être discutent-ils des personnes du sexe opposé?)

6 En moyenne 1 heure 15 – un peu moins pour les garçons que pour les filles. 17% y passent moins de 30 minutes et 5% plus de deux heures. Les 3mes ne passent pas plus de temps que les 6mes.

7 60% trouvent que le collège est bruyant, mais 80% admettent se sentir plutôt bien au collège. La drogue et le racket sont plus des rumeurs que des réalités. Il y a seulement 2% qui disent qu'on leur a proposé de la drogue.

8 Les deux réponses les plus fréquentes, surtout chez les filles: une grande famille et une colonie de vacances. Les moins fréquentes: une gare ou un hôtel. Pour 1 élève sur 4 de 3me, le collège évoque une prison.

9 La note se situe aux environs de 7/10. Pas mal!

B L'emploi du temps

1a C'est quelle matière?

1

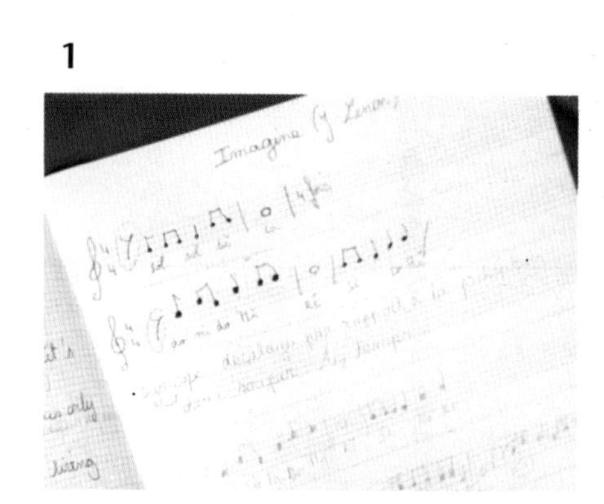

2

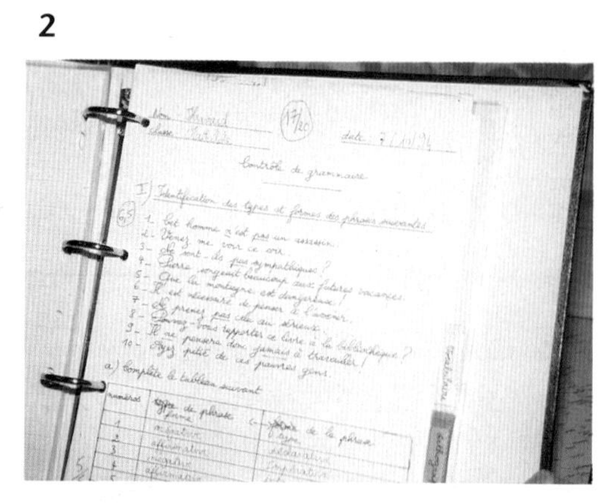

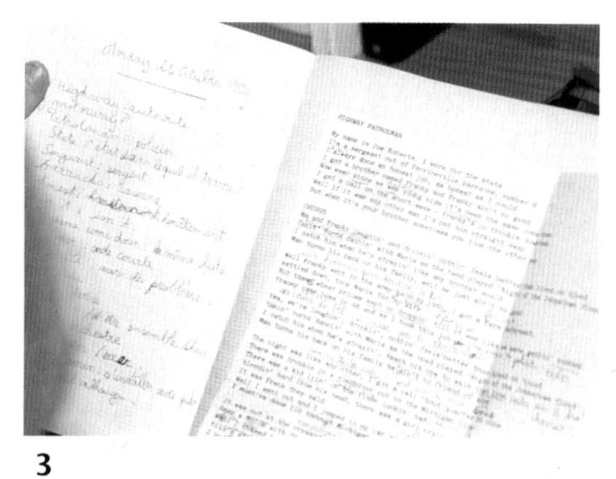

3

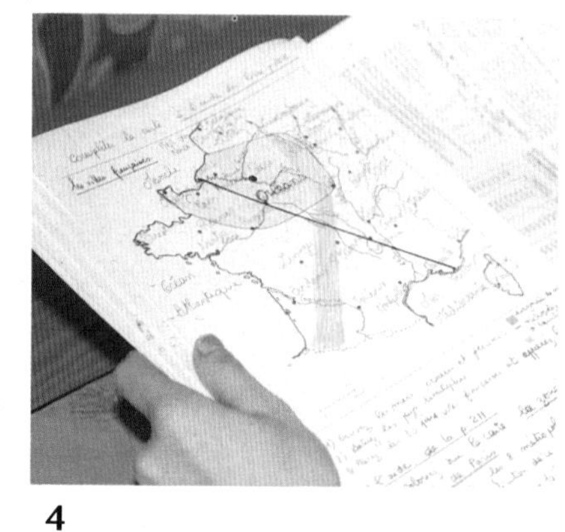

4

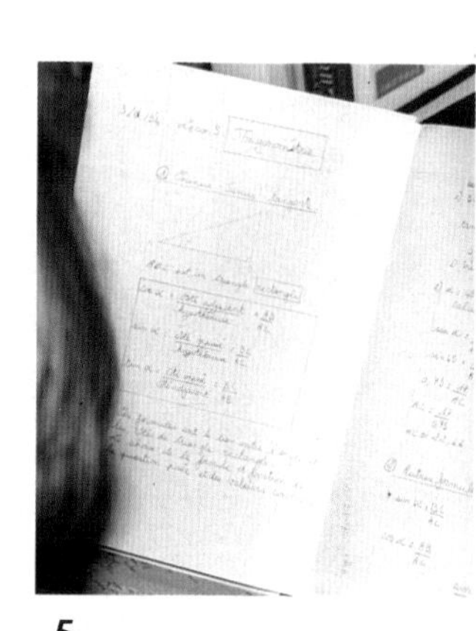

5

1b Ecoute: Qu'est-ce qu'on fait? C'est quelle matière? (1–8)

1c A deux: Comment trouvez-vous vos matières? Pourquoi?

Exemple: Je trouve le français difficile/facile parce que ...
Ma matière préférée, c'est ...

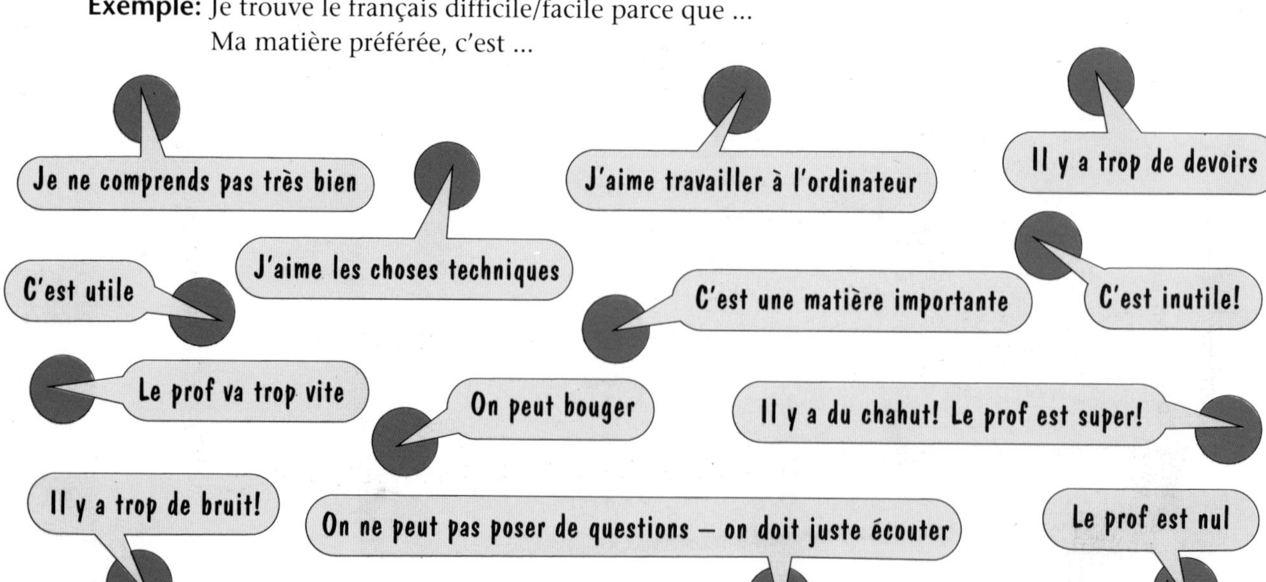

2 Une leçon de grammaire

Pronoms personnels

Les *pronoms personnels* remplacent des noms ou des groupes nominaux :

Jean → il
Marie → elle

Jean et Marie → ils
Marie et Simone → elles
Marie et moi → nous

1. — Remplacez les mots soulignés par des pronoms personnels :

a) Jean est parti.
b) Jean et Marie sont arrivés.
c) Marie est allée en ville.
d) Jean-Paul et Patrice sont allés à la piscine.
e) Marie et Simone sont entrées dans le café.

2. — Complétez les phrases en remplaçant les mots soulignés par des pronoms personnels :

le pull-over → le   la robe → la   les fleurs → les

a) Paul a perdu son pull-over. — *Il l'a perdu.*
b) Martine a acheté les glaces. — *Elle ___ a achetées.*
c) J'ai vu le film deux fois. — *Je ___ ai vu deux fois.*
d) Martin a rencontré Simone en ville. — *Il ___ a rencontrée en ville.*

3. — Remplacez les mots soulignés par des pronoms personnels :

Jean a donné un cadeau à Marie/à Marie et Corinne.
Jean lui/leur a donné un cadeau.

a) Paul a passé le livre à Delphine.
b) Barbara a acheté des gants pour sa soeur.
c) Stéphane a fait des sandwichs pour ses copains.
d) Eric a prêté son vélo à Simone.
e) Olivier a promis un jeu vidéo à son copain.
f) Mon ami Paul a acheté des chocolats pour ses grands-parents.
g) J'ai dit merci à Paul.

3a Le bulletin trimestriel
Fais une comparaison.
Qui est le/la meilleur(e) élève?

Mickael/Céline est	fort(e)/faible			en ...
	le/la	plus moins	fort(e)/faible	

COLLEGE JEAN JACQUES ROUSSEAU, 2 Rue de la Table de Pierre, 76160 DARNETAL
Tél. : 35 08 56 56

RELEVE
2° TRIM 1° PERIODE

Nom : CRESPIN Celine
Non redoublant

TROISIEME 1
Effectif : 30

Disciplines	Notes								Appréciations des professeurs
FRANCAIS EXPRESSION ECRITE	12,00	12,00	14,00	8,00	11,00	11,00			Ce peut être très bien mais résultats irréguliers. Participer à l'oral!
GRAMMAIRE	12,50	18,00	16,00	11,00	18,00	9,00	14,50	12,50	
MATHEMATIQUE	15,00	19,00	9,00	9,50					Résultats irréguliers - j'attends mieux!
ALLEMAND 1° LANGUE	Abs.	15,00	16,00	15,00	13,00	15,00			Très bon travail - Oral productif et raffiné.
ANGLAIS 2° LANGUE	13,00	10,00	12,00	15,00					Ensemble passable.
HISTOIRE GÉOGRAPHIE	12,75	12,00	13,00	19,00	16,00				Très bons résultats écrits mais oral trop faible. J'attends plus de motivation
EDUCATION CIVIQUE TP									
PHYSIQUE	15/30		14	test de rapidité 5e 13					
BIOLOGIE	18,50	10,50	9,50						Ensemble irrégulier - Céline doit prendre confiance dans ses possibilités.
TECHNOLOGIE	15,00	14,00	15,00	11,00					

COLLEGE JEAN JACQUES ROUSSEAU, 2 Rue de la Table de Pierre, 76160 DARNETAL
Tél. : 35 08 56 56

RELEVE
2° TRIM 1° PERIODE

Nom : LECOURT Mickael
Non redoublant

TROISIEME 2
Effectif : 29

Disciplines	Notes								Appréciations des professeurs
FRANCAIS EXPRESSION ECRITE	12,00	12,00	13	11		13,50			Bon ensemble
GRAMMAIRE	13,50	14,50	10,50	13,00					
MATHEMATIQUE	16,50	16,00	18,00	11,00	13,00				bons résultats; un peu moins de bavardages!
ALLEMAND 1° LANGUE	17,00	13,00	13,50	13,00	14,00				Très bien à l'écrit et à l'oral.
ANGLAIS 2° LANGUE	8,50	9,00	12,00	14,00					Toujours prêt au travail oral. Convenable.
HISTOIRE GEOGRAPHIE	9,00	12,50	15,00						Parfois irrégulier, souvent bavard
EDUCATION CIVIQUE TP	14,00								
PHYSIQUE	13,00	10,50	10,00						Assez bon travail – Il faut poursuivre ses efforts
BIOLOGIE	11,50			10,50					Ses résultats sont corrects, il est vrai, mais sans plus... Beaucoup de bavardages.
TECHNOLOGIE	10,00	18,50							

3b Le BEPC
Pour obtenir le Brevet, un élève de troisième passe un examen écrit qui comporte trois épreuves: français, maths et histoire-géographie. Pour être reçu, l'élève doit avoir une moyenne de 10/20 au moins à cet examen. Le calcul de la moyenne est donné par la formule:

$$\frac{(\text{maths} \times 4) + (\text{français} \times 4) + (\text{histoire-géo} \times 2)}{10}$$

1 Catherine a eu 12 en maths, 9 en français et 8,5 en histoire-géo. Peut-elle obtenir le Brevet?

2 Thomas a eu 11 en maths, 8 en français et 11 en histoire-géo. Peut-il obtenir le Brevet?

2

3c Ecoute, copie et remplis le bulletin pour Guillaume.

4a A deux: Quels vêtements portez-vous au collège? Faites une liste de vêtements.

Flash info

Attention à l'orthographe!

Je porte ...

m sing	*f sing*	*m pl*	*f pl*
un pantalon gris	une veste bleue	des gants blancs	des baskets blanches

4b Porter un uniforme: Qu'en pensent-ils? Qui est pour et qui est contre?

Je trouve ça bien parce que, le matin, on sait toujours quoi mettre. On ne fouille pas dans l'armoire en se disant: Qu'est-ce que je vais mettre?
Lydie

Il faut avoir des vêtements pour le collège et d'autres pour les sorties, et pour moi, ça coûte trop cher.
Vincent

C'est bien, parce qu'on ne voit pas les différents niveaux sociaux.
Etienne

Je trouve ça bien pour les jeunes, mais pas après quatorze ans. Il y a deux ans, on essayait de porter les mêmes fringues que ses copains. Si on allait à une boum, on se téléphonait toujours pour demander: Qu'est-ce que tu vas porter? parce qu'on ne voulait pas se faire remarquer. Maintenant, au contraire, on cherche à porter des choses différentes, un peu bizarres, pour se faire remarquer.
Annabelle

Ici, on porte ce qu'on veut et on fait ce qu'on veut, et il y a ceux qui font des bêtises en classe et empêchent les autres d'apprendre. Je veux être architecte, et je dois passer des examens et avoir de bonnes notes. Je crois qu'un uniforme est bien pour la discipline.
Véronique

4c Ecoute: Qui est pour et qui est contre? (1–8)

4d Et toi? Es-tu pour ou contre? Pourquoi?

Flash info

Verbe: avoir

présent:	j'ai	*imparfait:*	j'avais
	tu as	*passé composé:*	j'ai eu
	il/elle a	*futur:*	j'aurai
	nous avons	*conditionnel:*	j'aurais
	vous avez		
	ils/elles ont		

LA PREMIÈRE JOURNÉE D'ÉCOLE:

L'histoire de ma grand-mère

Ce jour là, le vent sifflait à travers la cour de la ferme. Depuis un bon moment j'attendais cet événement qui allait enfin m'intégrer dans le clan des "grands"! Mes sœurs aînées allaient à l'école depuis longtemps et je les regardais partir chaque matin, le nez collé à la fenêtre, imaginant l'école et la classe où elles passaient la plus grande partie de chaque jour, et je m'impatientais d'y aller moi-même.

La veille du grand jour, on m'avait préparé la blouse grise sur le portemanteau, les bottines neuves et mon petit sac à dos avec une trousse en bois, une petite règle, un stylo, un crayon, un taille-crayon, une gomme et une pomme pour manger à la récréation. J'étais prête la première, heureuse, un peu inquiète, et, quand la porte se referma derrière mes sœurs et moi, je jetai un dernier coup d'œil à ma mère qui nous regardait partir de la fenêtre de la cuisine. Je me souviens toujours de l'arrivée au village, la cour de l'école avec ses trois marronniers, les cris des enfants, les bousculades et enfin, la cloche qui annoncerait les récréations, les entrées et les sorties de classe!

D'un seul coup, plus un rire, plus un bruit, les rangs étaient formés et on m'avait séparée de mes sœurs! Je les cherchais des yeux, me hissant sur la pointe des pieds et la plus grande, sentant mon angoisse, m'envoya un petit signe réconfortant de la main. Alors, entraînée par les autres, je suivis le rang jusqu'à la classe. C'est l'odeur, tout de suite, qui me frappa et qui restera toujours et pour l'éternité inscrite dans ma mémoire, un mélange de craie et d'encaustique, d'encre et de papier. Je n'ai qu'à fermer les yeux maintenant, en y pensant très fort, et cette odeur m'envahit encore, entêtante, lourde, chargée de souvenirs.

Et puis une dame, très jeune, très blonde, très ronde, nous parla d'une voix douce et musicale en traçant au tableau noir des signes incompréhensibles et mystérieux. Puis elle distribua un cahier neuf à chacun. Le mien était bleu avec un oiseau sur la couverture. Je regardai par la fenêtre et aperçus un oiseau perché sur la branche d'un marronnier dans la cour. J'avais envie de m'envoler avec lui, mais c'est la maîtresse qui me rappela à l'ordre et qui me conseilla d'être bien attentive pendant les heures de classe et de faire bien attention à la leçon. Alors nous avons commencé à répéter les signes du tableau : A B C D E, à les copier, à les chanter ensemble, à les écrire sur la page blanche. A la fin de la journée, j'étais contente en rentrant à la maison et je me précipitai vers maman en lui disant que je savais lire et que je n'avais plus besoin d'aller à l'école !

C Et si on a de mauvaises notes?

1a Lis et écoute.

6/20 Plus d'efforts, s'il te plaît

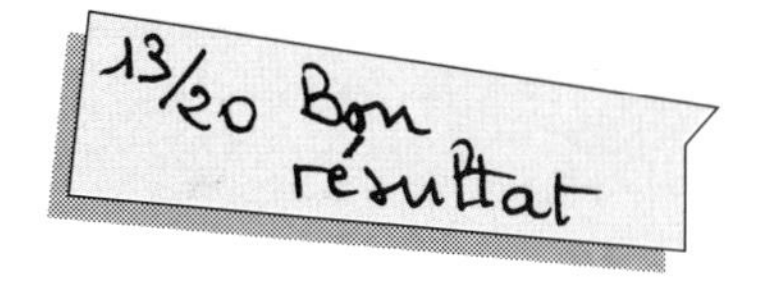

4/20 A refaire

En France, les élèves reçoivent une note pour chaque devoir corrigé par le professeur. La note, c'est un nombre sur vingt.

Douze sur vingt représente une assez bonne note. Même dix sur vingt est acceptable. Mais cinq ou six sur vingt, ça représente une mauvaise note. Et si un élève reçoit beaucoup de mauvaises notes, ça pose un problème!

A la fin de l'année scolaire, les professeurs considèrent la moyenne des notes de chaque élève. Si la moyenne est mauvaise, surtout dans les matières importantes (c'est-à-dire les maths, le français et l'anglais) l'élève doit **REDOUBLER**: c'est-à-dire, recommencer la même classe.

On trouve quelquefois (mais assez rarement) des jeunes qui ont redoublé deux ou trois fois: dans une classe d'élèves de quatorze ans, il est possible de trouver un ou deux élèves qui ont seize ans.

11/20 Assez bon travail

15/20 Excellent travail

10/20 Travail satisfaisant

8/20 Pourrais mieux faire

1b Quelle est ta réaction immédiate à ce système? Pour ou contre?

Exemple: Pour: Le système de redoublement, c'est un bon système.
Contre: Redoubler, ce n'est pas une bonne idée.

1c Trouve dans cette liste des *pour* et des *contre*. Ecris deux listes.

A Les jugements des professeurs sont basés sur les notes.
B Je ne voudrais pas être dans une classe avec des élèves plus jeunes que moi.
C C'est humiliant, surtout si les amis ne redoublent pas!
D C'est bien d'avoir une deuxième chance.
E Etre avec les copains, c'est le plus important.
F La classe est composée d'élèves du même niveau.

Peux-tu suggérer d'autres *pour* et *contre*?

1d Maintenant, justifie ton opinion.

Exemple: Le système de redoublement est bon/n'est pas bon, parce que ...

2a Cette année, Thomas est en quatrième. L'année dernière, il était en quatrième aussi! Pourquoi? Parce que Thomas redouble.
Il redouble parce que, à la fin de l'année scolaire, ses professeurs ont décidé que son travail était insuffisant.

Ecoute: Les professeurs discutent de Thomas et de son travail scolaire. Prends des notes.

MATIERE	PROGRES (✓/✗)	POINT-CLE
maths	✓	*attitude plus sérieuse*

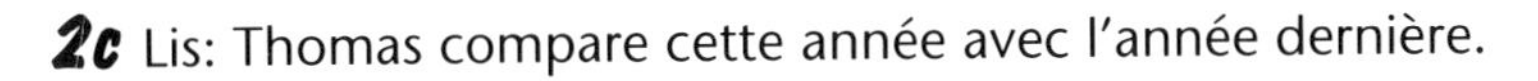

2b A ton avis, est-ce que Thomas a fait des progrès cette année? Explique ta réponse.

2c Lis: Thomas compare cette année avec l'année dernière.

Je pense que je travaille mieux cette année, et que mon attitude a changé.
L'année dernière, j'étais très paresseux, je faisais le minimum. Cette année, je fais plus. En français, par exemple, l'année dernière, je n'aimais pas écrire, j'écrivais quatre ou cinq lignes ... maximum! Tandis que maintenant, j'écris deux ou trois pages, je fais des efforts de rédaction. En maths, c'est pareil. Avant, je ne faisais pas d'efforts, tandis que cette année, je travaille dur. Je ne faisais pas mes devoirs, je préférais regarder la télé ou écouter mes disques dans ma chambre. Evidemment, je préfère toujours la télé, mais la plupart du temps, c'est seulement si j'ai complètement fini mes devoirs. Et maintenant, je discute de mon travail avec mes parents. L'année dernière, je ne parlais pas de l'école avec papa et maman. Ils m'ont promis des leçons de conduite quand j'aurai seize ans, si j'ai de bons résultats cette année.

2d A deux: Trouvez au moins quatre différences entre cette année et l'année dernière.

Exemple: Cette année, il **fait** des efforts; l'année dernière, il **faisait** le minimum.

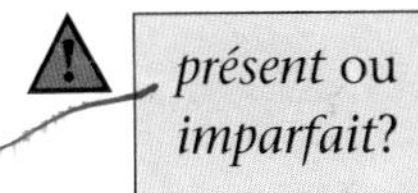

3a Compare ton travail de cette année et de l'année dernière.
Pense aussi à ton attitude envers tes études.

3b Travaillez en groupes de quatre ou cinq. Posez-vous ces questions:

- Comment travailles-tu cette année en (maths/français/...)?
- Comment travaillais-tu l'année dernière en (sciences nats/musique/...)?
- Quelle est/était ton attitude en (anglais/histoire-geo/...)?

Cette année, je travaille L'année dernière, je travaillais	bien/moins bien (que ...) mieux (que ...) aussi bien (que ...)
Cette année, mon attitude est L'année dernière, mon attitude était	positive/négative

Est-ce que les autres membres du groupe sont d'accord?

3c Ecris un résumé de tes progrès de cette année, et de ton travail de l'année dernière.
Compare les deux années scolaires.

4a Ecoute: Anne-Marie parle de ses devoirs.
Vrai ou faux?

1 En rentrant après l'école, Anne-Marie fait ses devoirs immédiatement.
2 Quelquefois, elle fait des devoirs à l'école.
3 Elle finit ses devoirs après le dîner.
4 Elle a moins de devoirs que l'année dernière.
5 D'habitude, elle sort après avoir fini ses devoirs.

4b Des élèves de troisième t'offrent des conseils concernant les devoirs. Lis!

1

Quand tu arrives à la maison après une journée à l'école, relaxe-toi tout d'abord. Ne fais pas tes devoirs tout de suite – fais plutôt autre chose pendant quelques minutes. Et surtout, ne travaille pas tous les soirs. Un soir dans la semaine, c'est sacré pour la détente ou le sport. Cela détend le corps ... et l'esprit.

2

Prépare un plan de travail pour la semaine. Décide à l'avance le nombre d'heures pendant lesquelles tu travailleras. Et la quantité de travail que tu feras. Et, avant les examens, prépare un plan de révisions, cela t'aidera à revoir tes cours.

3

Quand tu as terminé ton travail pour la semaine, offre-toi une petite récompense – une tablette de chocolat, ou une boîte de coca. Tu la mérites!

4

Ne reporte pas au lendemain ce que tu peux faire le jour même.

5

Si tu prépares un contrôle, fais ça avec un copain ou une copine. Travaillez à deux, comme ça c'est moins ennuyeux. Posez-vous des questions l'un à l'autre, pour vous aider.

4c Travail de classe: Avez-vous des conseils à ajouter?
Vous pouvez les écrire, et en faire un poster à mettre sur les murs de la salle de classe.

Le saviez-vous?

En Europe, au collège, ce sont les Belges qui travaillent le plus avec 1 216–1 368 heures de cours par an. Viennent ensuite les Allemands, puis les Hollandais. Les Français traînent loin derrière avec 1 067 heures annuelles.

4d Travaillez en groupes de six.
Faites un sondage: répondez à ces questions.

1 A quel moment de la soirée fais-tu tes devoirs?
2 Combien d'heures par semaine occupent tes devoirs?
3 Et l'année dernière?
4 Est-ce que tu fais le minimum, ou plus d'efforts?
5 Que fais-tu après avoir fini tes devoirs?

4e Calcule le nombre d'heures annuelles de cours dans ton collège.

3 Au boulot

A En stage chez Microscene

1a Ecoute: Comment s'appellent-ils? Quel est leur numéro de poste?

le P.D.G. = (président-directeur général) = *managing director*
la directrice générale adjointe = *assistant general manager*
le service d'achats = *buying department*
la comptabilité = *accounts*
la formation = *training*

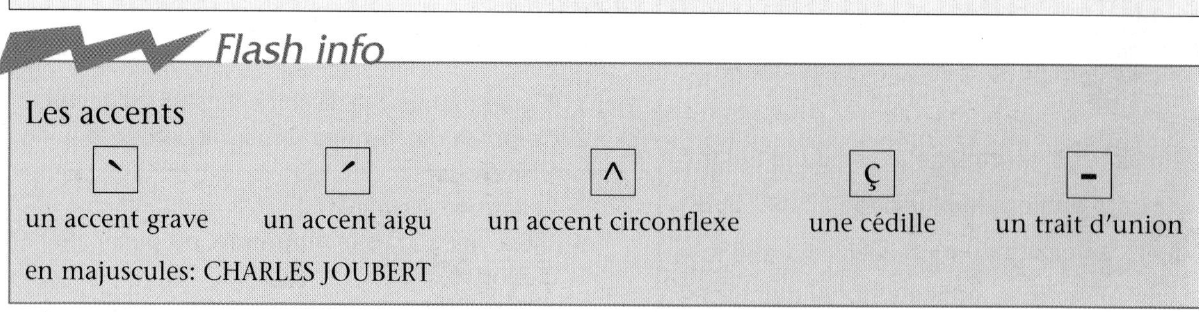

1b A deux: Qu'est-ce que vous dites? Attention à la prononciation!

Exemple: Je voudrais parler à ..., le chef du marketing.

1c Ecoute: C'est quelle image? On peut rappeler à quelle heure?

2a Tu fais un stage chez Microscene. Tu dois téléphoner à la société Savonetta et donner des renseignements sur les employés de Microscene. Epelle leur nom, et donne leur numéro de poste et leur fonction dans l'entreprise.

Microscene Ltd. Internal telephone list

Mr Harrison	301	Managing director	Miss Richards	304	Secretary
Mrs Haigh	306	Marketing manager	Mrs Dennis	309	Accounts manager
Mr Thomas	307	Buying dept manager	Mr Marshall	314	Production manager

2b Envoie un fax! Prépare les mêmes informations pour les transmettre par fax.

Exemple:

Microscene Ltd.

For the attention of: Mme Bichon, Société Savonetta
Fax no:
Pages:

Les numéros des postes de téléphone sont:

M. Harrison poste 301 P.D.G.
Secrétaire du P.D.G.

2c A deux: C'est à vous d'être standardiste, à tour de rôle.
Qu'est-ce que vous dites?

Exemple: *A:* Je voudrais parler à M./Mme ...
B: Je regrette, ... Vous pouvez rappeler ...

3a Au téléphone
A deux: Travaillez le dialogue et enregistrez-le.

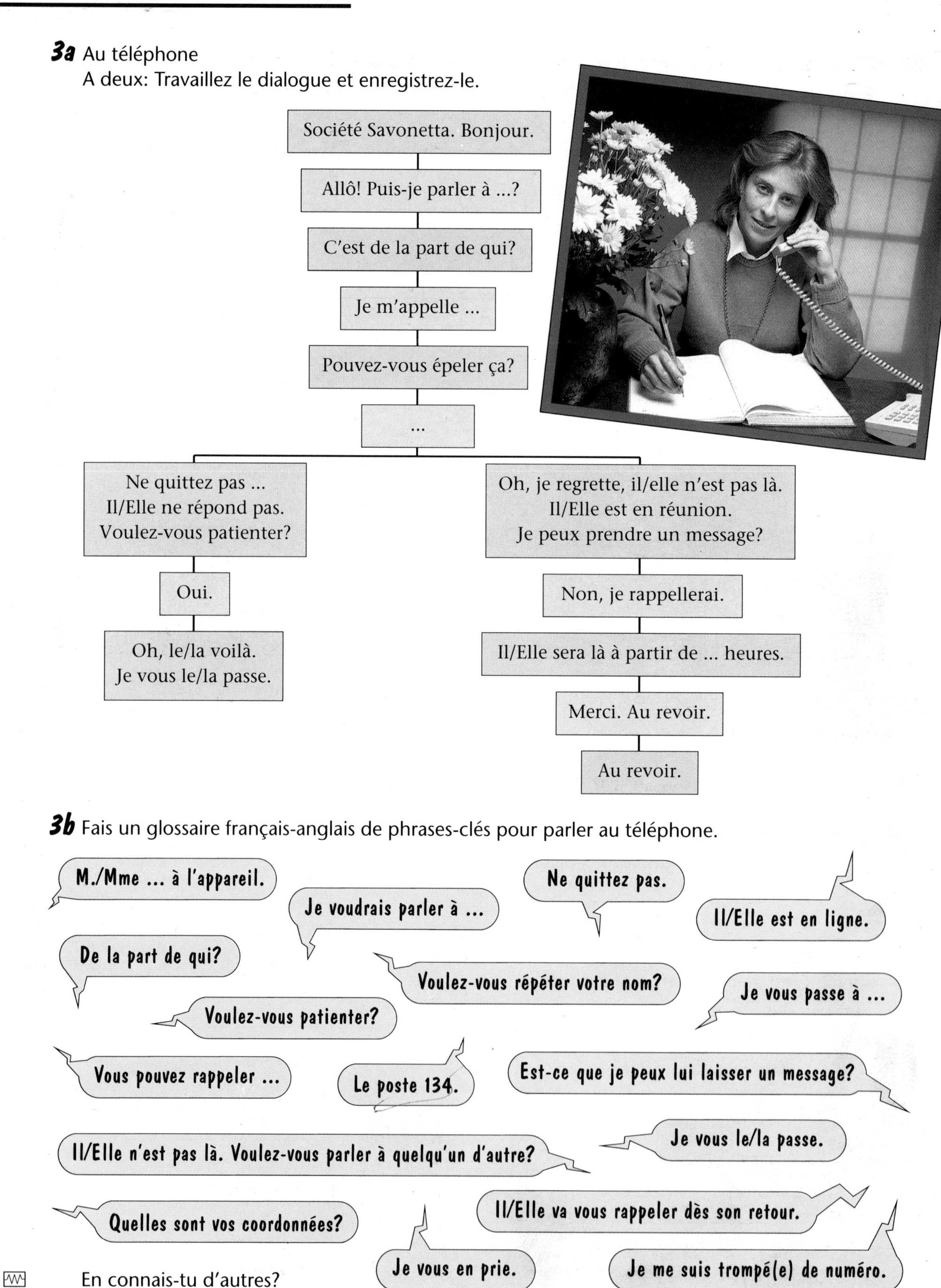

Société Savonetta. Bonjour.

Allô! Puis-je parler à ...?

C'est de la part de qui?

Je m'appelle ...

Pouvez-vous épeler ça?

...

Ne quittez pas ...
Il/Elle ne répond pas.
Voulez-vous patienter?

Oui.

Oh, le/la voilà.
Je vous le/la passe.

Oh, je regrette, il/elle n'est pas là.
Il/Elle est en réunion.
Je peux prendre un message?

Non, je rappellerai.

Il/Elle sera là à partir de ... heures.

Merci. Au revoir.

Au revoir.

3b Fais un glossaire français-anglais de phrases-clés pour parler au téléphone.

M./Mme ... à l'appareil.

Je voudrais parler à ...

Ne quittez pas.

Il/Elle est en ligne.

De la part de qui?

Voulez-vous répéter votre nom?

Je vous passe à ...

Voulez-vous patienter?

Vous pouvez rappeler ...

Le poste 134.

Est-ce que je peux lui laisser un message?

Il/Elle n'est pas là. Voulez-vous parler à quelqu'un d'autre?

Je vous le/la passe.

Quelles sont vos coordonnées?

Il/Elle va vous rappeler dès son retour.

Je vous en prie.

Je me suis trompé(e) de numéro.

En connais-tu d'autres?

4a M. Thomas se rend en France. Il veut prendre rendez-vous avec M. Vincent, le chef du marketing de la société Romique. M. Thomas est libre quand?

Itinéraire pour M. Thomas   Visite en France 15-20 février

Dimanche 15:	arrivée: 18.24 Paris, aéroport Charles de Gaulle transfert à l'hôtel Principal, Paris
Lundi 16:	matin: visite du musée des Sciences après-midi: rendez-vous avec M. Albert, de la société Boniou
Mardi 17:	matin: rendez-vous avec M. Tourbillon, de la société Nouveauté après-midi: libre
Mercredi 18:	matin: libre après-midi: visite de l'usine Boniou
Jeudi 19:	matin: visite de l'usine Nouveauté après-midi: libre
Vendredi 20:	matin: libre départ: 14.25 Paris-Charles de Gaulle pour Londres-Heathrow

4b Ecoute: Quand M. Vincent est-il libre? Remplis son agenda.

4c Ils sont tous les deux libres quand? Propose un rendez-vous. Prépare un message à laisser sur le répondeur et écris un fax à M. Vincent.

Exemple: A l'attention de M. Vincent, société Romique, Paris

M. Thomas est libre le ... et vous propose un rendez-vous à ... à l'hôtel Principal à Paris.

Veuillez confirmer si cela vous convient.

Veuillez agréer, Monsieur, nos meilleurs sentiments.

·f·é·v·r·i·e·r·

15 dimanche ....

16 lundi ....

17 mardi ....

18 mercredi ....

19 jeudi ....

20 vendredi ....

21 samedi

Flash info

Verbe: pouvoir *(to be able to)*

présent:	je peux puis-je?	nous pouvons	*imparfait:*	je pouvais
			passé composé:	j'ai pu
	tu peux	vous pouvez	*futur:*	je pourrai
	il/elle peut	ils/elles peuvent	*conditionnel:*	je pourrais

Hôtel Ibis à Rouen

M. Paris
Directeur

M. Paris a travaillé dans des hôtels en Espagne et en Ecosse.

Claudine Perherin
Serveuse

Sophie Marini
Assistante de direction

Laurence Michel
Réceptionniste

Quynh Nga Nguyen
Serveuse

Fiche de l'hôtel Ibis

Nombre de chambres: **88**

Nombre de lits: **160**

Nombre de draps: **480** (Il y a trois draps pour chaque lit.)

Nombre d'ampoules: **4** dans chaque chambre plus **70** pour les foyers. Il faut les changer après 400 à 1000 heures.

Papier hygiénique: On calcule **1,5** rouleau par client par jour.

Savonnettes: **0,8** par client par jour (Est-ce que nos clients ne sont pas propres ou est-ce qu'ils utilisent leur savon personnel?)

Réparations: On compte **2** heures par jour.

Nettoyage: Il y a un service extérieur qui s'occupe du nettoyage.

Petit déjeuner:
On calcule deux croissants et demi par personne et une baguette pour cinq personnes, et on achète aussi de la viennoiserie, des pains aux chocolat, etc. (On téléphone au boulanger tous les soirs à 18 heures pour passer la commande pour le lendemain.)

Indice de fréquentation:
1,15 personne par chambre, ce qui est satisfaisant.

L'hôtel est fréquenté par les gens d'affaires 80% et les touristes 20%. Rouen est une ville très connue, très belle, et un centre de tourisme. Les touristes viennent d'un peu partout.

Clients:
Parmi les étrangers, ce sont les Hollandais et les Suédois qui sont les plus exigeants. Ils veulent le maximum de service pour le prix qu'ils paient. Les Italiens veulent tout changer. Parmi les touristes, 40% sont des Anglais et 35% des Allemands. Les Allemands ne cherchent pas à parler français et 99,5% des Anglais ne parlent que l'anglais!
Les grands buveurs sont les Allemands et les Belges, qui boivent de la bière, et les Anglais, qui boivent n'importe quoi! Les Espagnols boivent du vin. Les Italiens boivent surtout de l'eau minérale. Ils sont très stricts et ne boivent pas d'alcool du tout quand ils conduisent.

B Chez Ozona

1a Ecoute: Comment s'appellent-ils et que font-ils? (1–7)

A 1 2

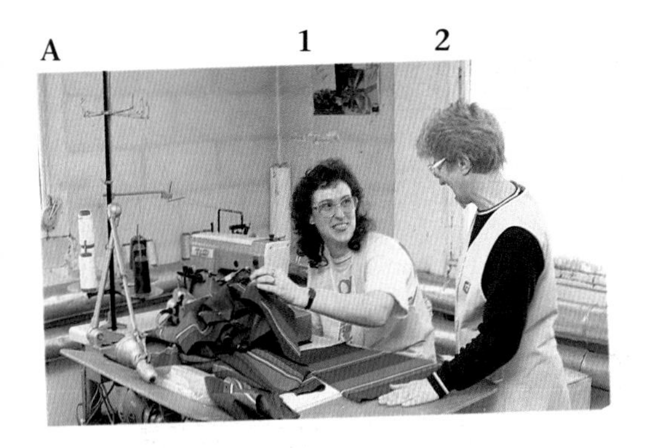

C 5

D

B 3 4

F

G

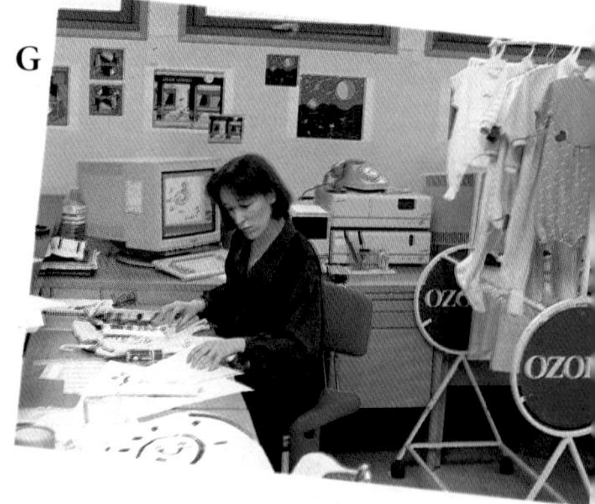

E 6

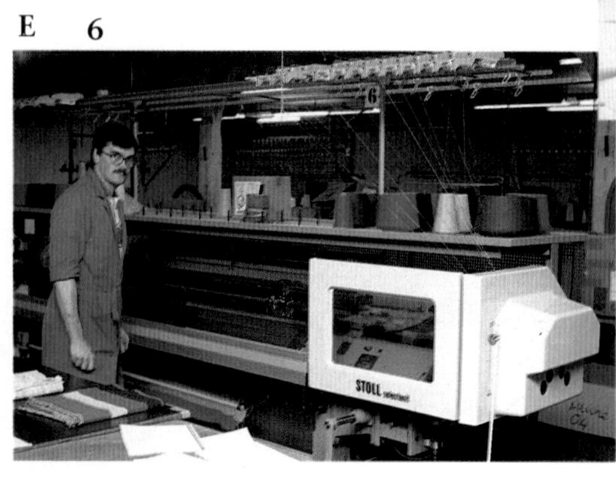

H 7

1b Qui est-ce?

A Il travaille les pulls sur l'ordinateur: il fait la programmation des motifs.
B Elle surveille la production des vêtements, le repassage et l'emballage.
C Il répare les machines et surveille la formation des apprentis.
D Il est opérateur des machines de tricotage.
E Il est responsable de la fabrication des vêtements.
F Il est stagiaire. Il fait un apprentissage de mécanicien. Il est étudiant au CFA et fait un stage de six semaines dans l'entreprise.
G Elle fait un apprentissage de confection. Elle apprend en travaillant dans l'entreprise et fait une journée d'études par semaine à l'école.

1c Ecoute: Quels sont les avantages et les inconvénients de leur travail?

Exemple: Les avantages sont ... et les inconvénients sont ...

2 Choisis des photos à la page 42 pour illustrer les textes.

1 *Un styliste prépare des dessins et on en sélectionne les meilleurs. On choisit les tissus, les couleurs, la broderie, les étiquettes, les boutons, etc.*

2 *La modéliste fait des patrons et le mécanicien de modèles monte les prototypes.*

3 *L'industrialisation: On coupe le tissu et on fait les vêtements.*

4 *On plie les vêtements, les emballe et les envoie dans les magasins.*

3a Ecoute et lis: Jobs d'été

Normalement, il faut avoir au moins 16 ans pour travailler en Europe, mais les adolescents âgés de plus de 14 ans peuvent effectuer des travaux légers ou faire un stage de travail pendant leurs vacances, à condition que la période de travail ne dépasse pas la moitié du congé scolaire.

Animation et sports: Vous travaillez dans une colonie de vacances ou dans un centre aéré, comme employé de service dans la cuisine, ou comme surveillant de baignade, maître nageur, sauveteur, etc., mais pour ces derniers il faut avoir un brevet d'aptitude ou un autre diplôme. Vous pouvez contacter: le Centre Régional Information Jeunesse dans la ville jumelée.

Babysitting: Vous travaillez comme au pair ou aide familiale. Pour travailler légalement comme au pair, il faut avoir 17 ans. Vous pouvez mettre une petite annonce dans un journal, ou contacter des familles directement.

Hôtellerie et restauration: Vous faites un stage de travail comme réceptionniste, garçon d'étage, femme de chambre, serveur, cuisinier, aide de cuisine ou plongeur. Les emplois qualifiés des hôtels et restaurants sont réservés aux élèves des écoles hôtelières. Il faut contacter chaque hôtel directement.

Commerce: Vous travaillez dans les supermarchés et hypermarchés et chez les petits commerçants. Pour un stage dans un magasin, il faut contacter chaque établissement directement.

Emplois de bureau: Pour faire un stage dans un bureau, il faut contacter le responsable dans une ville jumelée, ou chaque bureau ou entreprise directement. Les enfants du personnel sont souvent prioritaires. Utilisez vos contacts, exploitez vos connaissances!

3b Choisis un paragraphe et lis-le à haute voix. Attention à la prononciation et à l'intonation!

3c Lis le C.V. de Claudine.
Qu'est-ce qu'elle pourrait faire?

Curriculum vitae

Nom:	Blanchot
Prénom:	Claudine
Age:	18 ans
Adresse:	28 rue de Paris, Orléans
Collège:	Collège Proudhon, Orléans
Etudes:	maths, français, anglais, espagnol, physique, sciences naturelles, histoire-géographie
Expérience:	stage comme au pair en Angleterre; monitrice de ski
Langue(s) étrangère(s):	anglais, espagnol
Loisirs:	sport, ski, tennis, planche à voile, plongée sous-marine, etc.

Expériences

Je livre du lait.

J'aide mes parents à la ferme/à la maison.

Je promène le chien.

J'ai fait un stage chez ... /comme ... /dans ...

Je sers dans un café.

Je garde mon petit frère.

J'aide au garage.

Je distribue les journaux.

Je remplis les rayons dans le magasin du coin.

Mes parents ont un bar et je lave les verres.

Je lave la vaisselle.

Je fais du babysitting.

4a Ecoute: L'argent de poche (1–6)

- Que font-ils pour gagner de l'argent?
- Combien gagnent-ils?
- Comment dépensent-ils leur argent?

4b Et toi? Que fais-tu pour gagner de l'argent? Combien gagnes-tu et que fais-tu avec ton argent?

Exemple:
Je ... . Je gagne ...
Je dépense mon argent pour ... /
J'économise pour ...

Flash info

Verbe: choisir

présent:	je choisis	*imparfait:*	je choisissais
	tu choisis	*passé composé:*	j'ai choisi
	il/elle choisit	*futur:*	je choisirai
	nous choisissons	*conditionnel:*	je choisirais
	vous choisissez		
	ils/elles choisissent		

Patrick De Wilde
Un photographe animalier

C'est une profession qui vous fait peut-être rêver ...

Quelles qualités doit posséder un photographe animalier?

La patience. En aucun cas vous ne devez déranger l'animal dans son sommeil, or la plupart des animaux passent leur temps à dormir. Une seule solution, vous devez attendre, mais attendre l'oeil toujours ouvert. Il me faut user de beaucoup de patience. Je passe des heures à observer des animaux. C'est ce qui rend mon métier passionnant et dur. Je ne fais pas du tourisme. En reportage, je suis en état de tension permanente.

aigle

Comment travaillez-vous?

En Afrique, j'ai poursuivi des jaguars et des lions des journées entières, durant des semaines. A la fin, je savais qu'à telle heure, le jaguar allait monter sur telle branche de tel arbre. Ainsi, j'ai anticipé ses mouvements, et je me suis placé au meilleur endroit pour prendre mes photos. Si les lions ont chassé la veille, ils ont le ventre plein. Ils ne vont donc pas repartir en brousse.

loups

otaries

Vous êtes-vous déjà senti en danger?

J'ai vécu la charge d'un grand éléphant mâle. Nous avons immédiatement fait reculer notre voiture, mais nos roues se sont empêtrées dans des branches, et le moteur a calé ... L'éléphant fonçait sur nous. Heureusement, en essayant de redémarrer, mon chauffeur a fait couiner le moteur et le bruit a inquiété l'éléphant qui s'est arrêté. C'était très impressionnant. Vous pouvez me croire, je n'avais pas l'esprit à prendre des photos.

zèbres

Avec mes photos, je désire montrer l'animal dans toute sa beauté. J'espère donner aux gens l'envie d'aller voir les animaux dans la nature. Plus les gens iront voir les éléphants d'Afrique, plus les éléphants seront protégés. Les gouvernements comprendront qu'il faut les protéger et interdire de les tuer pour leurs défenses en ivoire. Si l'homme ne protège pas son environnement, et les différentes formes de vie, il en subira un jour les conséquences. La seule possibilité de survie de l'homme, c'est la nature.

jaguar

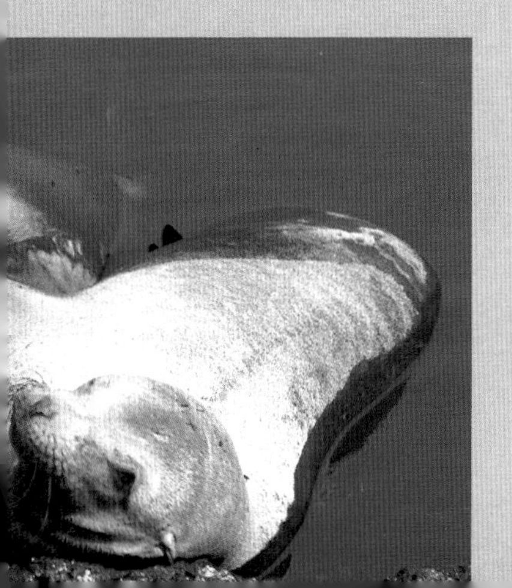

Un stage à l'étranger

Elise a vingt-deux ans. Elle est née à Sillé-le-Guillaume, dans la Sarthe. C'est là où sa famille habite toujours.

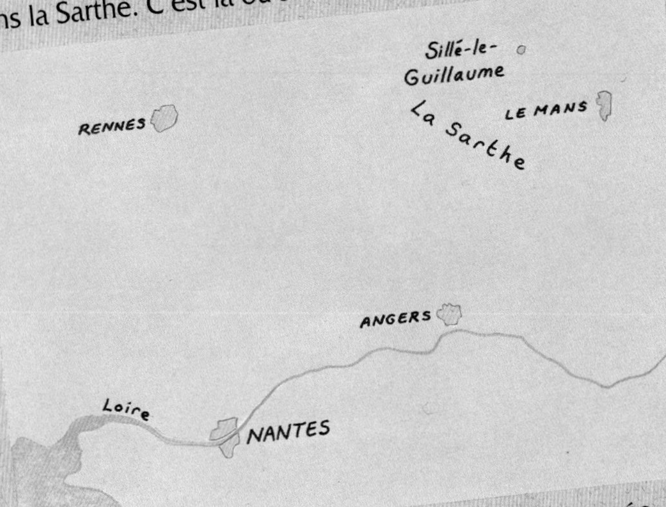

Elise est actuellement étudiante – en troisième année – dans une grande école à Nantes en Bretagne. Elle fait des études agro-alimentaires: c'est-à-dire qu'elle étudie l'industrie de la nourriture.

Les études supérieures d'Elise

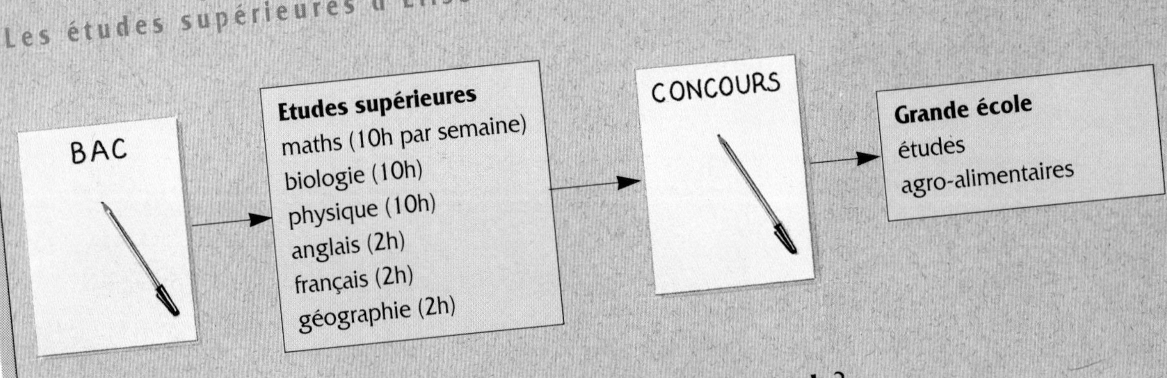

Quelle est la différence entre **une université** et **une grande école**?

Si on est reçu au Bac, on a le droit d'entrer dans une université. En fait, le Bac est la seule méthode de sélection. L'accès à une grande école est sélectif. Après le Bac, il faut passer encore deux ans à préparer un Concours (c'est-à-dire, une semaine d'examens!). Les étudiants qui ont les meilleurs résultats gagnent. Chaque grande école en France se spécialise dans une branche. La grande école où Elise va se spécialise dans les sciences agro-alimentaires.

1a Ecoute: Elise n'a pas toujours eu l'ambition de faire des études d'agronomie. Qu'est-ce qu'elle voulait faire?

1b Elise a parlé d'autres membres de sa famille.
Ecoute encore une fois et note les points-clés.
Compare avec un(e) partenaire.

Pendant ses études, Elise doit faire des stages, c'est-à-dire des périodes de travail, en France ou ailleurs. Il y a deux ans, elle a passé l'été en Angleterre: là, elle a travaillé pour une grande compagnie célèbre – Nestlé Rowntree – qui fabrique les chocolats à York.

Elle a beaucoup aimé cette expérience. En fait, elle en était ravie! Elle a donc demandé à retourner chez Nestlé Rowntree, cette fois-ci pour une plus longue période: un séjour de six mois.

2a Voici des réactions possibles à l'idée de passer six mois dans un pays étranger.
Quelles réactions sont pour? Lesquelles sont contre? Fais deux listes.

1 C'est trop longtemps pour être loin de sa famille.

2 On a rarement l'occasion de faire une expérience si intéressante.

3 Il sera difficile de trouver un logement.

4 On se fait très vite de nouveaux amis quand on est jeune.

5 Quelle chance de pouvoir travailler pour une grande compagnie internationale.

6 Au début on ne connaît personne. On se sent seul. Ce sera donc très dur.

C'est un avantage pour ma carrière professionnelle

8 Pouvoir améliorer son anglais comme ça, c'est formidable!

2b Suggère d'autres réactions possibles, pour ou contre.

2c A deux: Discutez en prenant deux points de vue opposés.
Partenaire A réagit favorablement à l'idée de faire un stage à l'étranger; partenaire B trouve des objections!

3a Un journaliste du journal *OUEST-FRANCE* est venu interviewer Elise, avec l'intention de faire un article sur son stage à l'étranger. Ecoute et note les réponses.

3b Maintenant tu es journaliste! Ecris un petit article pour accompagner la photo. Utilise les réponses d'Elise.

1. Vous irez où, précisément, en Angleterre?
2. Vous partirez quand?
3. Vous y voyagerez comment?
4. Combien de temps resterez-vous en Angleterre?
5. Quel travail ferez-vous exactement?
6. Vous logerez où?
7. Combien d'heures par semaine travaillerez-vous?
8. Vous parlez déjà anglais?
9. Vos parents sont contents de vos projets?

4a Lis les observations d'Elise sur l'Angleterre et la vie britannique. C'est vrai, ce qu'Elise a dit? Discute avec un(e) partenaire.

La consommation de bière est excessive.

Les Anglais ne portent pas de manteau.

Sur les autoroutes, c'est gratuit.

La plupart des voitures sont rouges.

On trouve des cabines téléphoniques partout.

Les Anglais finissent de travailler tôt le soir.

4b A deux: Pour vous, qu'est-ce qui caractérise la Grande-Bretagne? Et le caractère britannique? Faites un portrait (oral ou écrit) de l'Anglais typique.

LES CONSOMMATEURS DE LA CONFISERIE

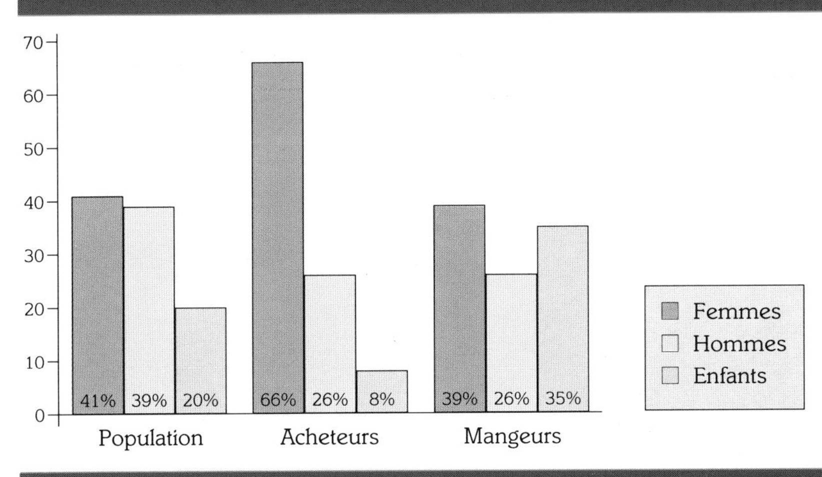

Les femmes achètent le plus de confiserie, mais elles en mangent moins de 40% elles-mêmes. Le reste est destiné à leur famille.

Par contre, les hommes en achètent en général pour eux-mêmes.

LE MARCHE EUROPEEN DE LA CONFISERIE

CONSOMMATION PAR PERSONNE

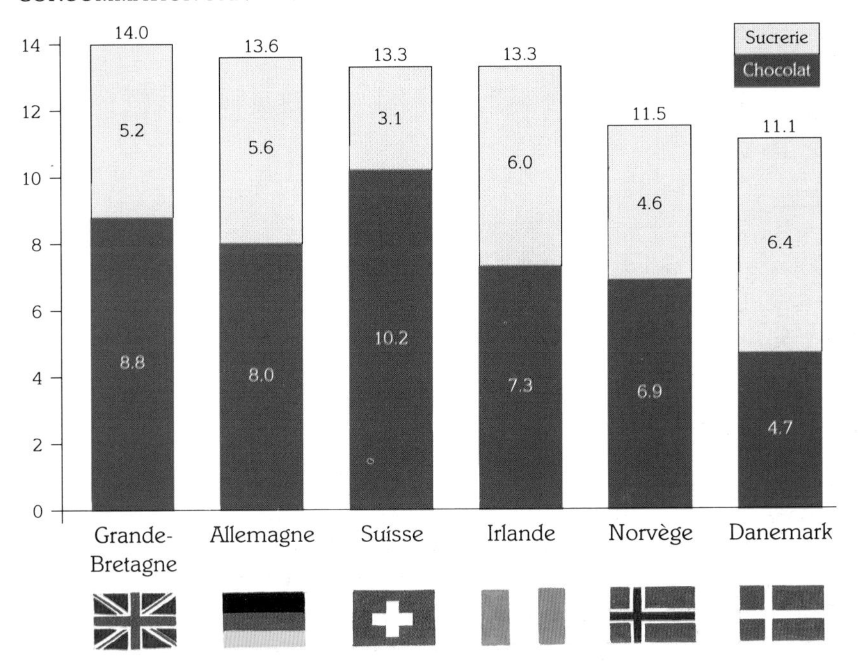

L'Allemagne est le plus grand marché d'Europe pour la confiserie, mais les Britanniques en mangent légèrement plus par personne.

Les Européens du nord sont tous grands amateurs de la confiserie, tandis que les marchés les plus petits se trouvent dans les pays plus chauds d'Europe du sud.

5a Réponds aux questions, puis compare tes réponses avec les réponses d'un(e) partenaire.

1. Est-ce que tu achètes souvent du chocolat et des bonbons?
2. Si oui, c'est pour toi, ou pour quelqu'un d'autre?
3. Qui mange le plus de chocolat dans ta famille? (Dessine un 'camembert' qui le montre.)
4. Quand le manges-tu?

5b Réponds aux questions, puis compare avec un(e) partenaire.

1. Quelle nation mange le plus de chocolat? Suggère pourquoi.
2. Quelle nation en mange le moins?
3. Selon le texte, les habitants des pays d'Europe du sud mangent le moins de chocolat. Suggère pourquoi.
4. Les habitants de Grande-Bretagne mangent combien de chocolat par personne?

Essaie de calculer ta consommation annuelle.

4 Les ados

A La bande

1a Ecoute: Comment s'appellent-ils?

1b A deux: Chaque partenaire décrit une personne dans chaque photo.
Le/La partenaire doit deviner de qui il s'agit.

Il/Elle	est grand(e)/petit(e)/joli(e)/mince/... a les cheveux ... porte ... rigole/fume/parle/boit/mange/flirte/...

L

K

I J

1c Jeu d'imagination. Choisis une photo. Qu'est-ce qu'ils ont fait?
Qu'est-ce qui se passe? Qu'est-ce qu'ils vont faire?
Ecris un petit rapport.

Flash info

Passé:	Il/Elle lui a demandé de .../l'a invité(e) à ...
	Ils ont fini de .../sont rentrés de ...
Présent:	Ils jouent/mangent/boivent/parlent/se disputent/discutent ...
Futur:	Ils vont rentrer/aller.../sortir ...

1d Qu'est-ce que tu dis? Prépare un petit rapport.

- Qu'est-ce que tu as fait hier soir?
- Qu'est-ce que tu fais maintenant?
- Qu'est-ce que tu vas faire ce soir?

Exemples: J'ai .../Je suis allé(e) .../On m'a invité(e) ...
Je travaille/lis/J'écris ...
Je vais ...

2a A deux: Jeu d'imagination. Quelle sorte de personne est-il/elle?

Il/Elle	aime/se passionne pour ... fait .../joue ... s'entend bien/ne s'entend pas bien avec ses parents/ses copains

Mon copain **Ma copine**

2b A deux: C'est quoi le plus important pour un copain ou une copine?
Classe par ordre d'importance!

A Il/Elle a le sens de l'humour.

B On aime les mêmes choses, la même musique, les mêmes copains.

C On fait les mêmes sports.

D Il/Elle est là quand j'ai besoin de quelqu'un.

E Il/Elle ne fume pas.

F On s'entend bien ensemble.

G Il/Elle m'écoute.

H On rigole ensemble.

I Il/Elle s'habille bien.

J Il est beau.

K Elle est belle.

2c Ecris un texte: Mon copain/Ma copine/
Mon petit ami/Ma petite amie

<table>
<tr><td>Il/Elle</td><td colspan="2">s'appelle ...
est ...
a ...
fait ...</td></tr>
<tr><td colspan="2">Je m'entends bien avec lui/elle
Je l'aime</td><td>parce que ...</td></tr>
</table>

3a Fumer ou ne pas fumer? Lis et comprends.

Le saviez-vous?

On compte chaque année deux millions et demi de nouveaux fumeurs dans le monde, y compris de plus en plus de femmes et de jeunes. En six ans, le tabagisme a doublé en France chez les jeunes de moins de vingt ans.

En quarante ans, les chiffres de la mortalité masculine due au cancer du poumon ont augmenté de 366%. 25% des fumeurs meurent à cause du tabagisme et on risque le cancer de la bouche et du poumon ainsi que des problèmes cardio-vasculaires.

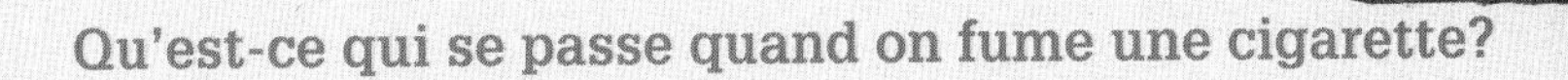

Qu'est-ce qui se passe quand on fume une cigarette?

A chaque bouffée, le fumeur inhale trois substances toxiques principales: la nicotine, le monoxyde de carbone et le benzopyrène. Après sept secondes, la nicotine arrive au cerveau où elle provoque l'équivalent d'une mini-décharge d'adrénaline. Chez certaines personnes, elle stimule l'activité cérébrale, et chez d'autres, elle a un effet tranquillisant. Le corps s'habitue au stimulus et en demande de plus en plus pour avoir le même effet; ainsi on devient dépendant.

3b Fumeurs ou non-fumeurs? Qui est pour et qui est contre?

A C'est dégoûtant! Ça pue!

B C'est de l'argent gaspillé.

C Ça me donne confiance en moi.

D Ça me détend.

E On n'a pas le droit de nous dire de ne pas fumer. C'est un monde libre.

F Si on veut mourir tôt c'est très bien!

G On risque le cancer du poumon!

H Tous mes copains fument, alors moi, je fume aussi.

I On se moque de ceux qui ne fument pas.

J Je trouve ça stupide. Si on veut jeter son argent par les fenêtres.

3c Ecoute: Pour ou contre? Qu'est-ce qu'ils disent? (1–8)

3d Et toi, es-tu pour ou contre? Pourquoi?

Flash info

Verbe: venir

présent:	je viens	*imparfait:*	je venais
	tu viens	*passé composé:*	je suis venu(e)
	il/elle vient	*futur:*	je viendrai
	nous venons	*conditionnel:*	je viendrais
	vous venez		
	ils/elles viennent		

Comment savoir si tu es vraiment amoureux/se d'elle/de lui?

Lis les phrases et dit si cela correspond.

oui, tout à fait	3 points
assez	2 points
un peu	1 point

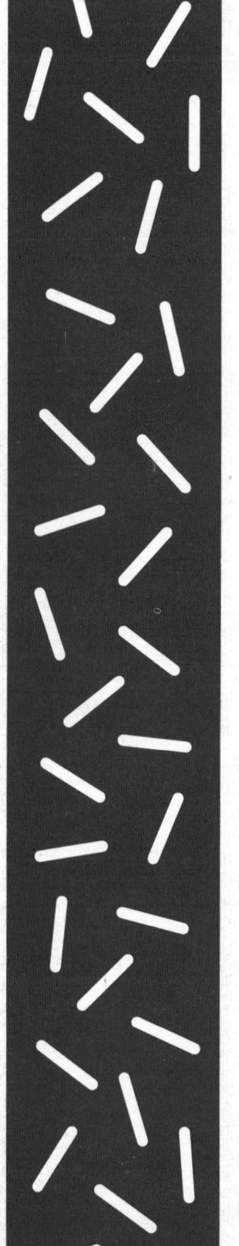

1 Quand tu l'as vu(e) la première fois, ça t'a fait un choc.

2 Tu le/la reconnais entre mille et ton coeur se serre si fort que tu en as mal.

3 Quand tu le/la croises, tu te sens gêné(e), tu te mets à rougir, et à paniquer.

4 Tu l'observes de loin car tu n'oses pas t'approcher de lui/d'elle.

5 Tu ne penses qu'à lui/elle.

6 Tu imagines mille scénarios romanesques qui racontent comment vous allez vous rencontrer.

7 Tu te demandes si tu as des chances de lui plaire.

8 Il/Elle t'obsède tellement que ça te coupe l'appétit.

9 Tu as beaucoup de mal à te concentrer en cours.

10 Tu aimes toujours tes copains/copines, mais tu passes moins de temps avec eux.

11 Quand tu les vois, tu leur casses les oreilles en leur parlant de lui/d'elle.

12 Si un copain/une copine dit qu'il/elle n'est pas si génial(e) que ça, tu le/la défends.

13 Tu n'as d'yeux que pour lui/elle.

14 Tu as envie de tout savoir de lui/d'elle.

15 Tu essaies de deviner ce qu'il/elle peut ressentir pour toi.

41–45	Tu es amoureux/se! Il faut lui parler avant que ça devienne une obsession!
36–40	Tu es très épris(e). Peut-être devrais-tu t'éloigner un peu de lui/d'elle pour vérifier tes sentiments.
31–35	Tu es amoureux/se mais réaliste. Tu sais contrôler tes émotions.
15–30	Tu le/la compares avec ton dernier flirt et il/elle va le/la rejoindre. Ce n'est qu'une passade!

Quand j'ai rencontré Stéphanie, j'ai tout de suite
craqué. Je ne savais pas pourquoi "elle" mais
elle m'attirait irrésistiblement. Normalement,
je préfère les blondes aux yeux verts, mais elle,
elle est brune aux yeux marron. Mais ça ne fait
rien. Je suis tombé fou amoureux d'elle.
Avant de sortir ensemble, j'étais tellement timide
et stressé. Si je la croisais dans la rue, je rougissais,
je baissais les yeux et je traversais la rue, tant
j'avais peur qu'elle me dise quelque chose, et je
n'aurais pas su que répondre. Je n'osais pas
l'inviter à sortir avec moi, parce que j'avais
peur qu'elle dise non. J'avais la figure pleine
de boutons et je me trouvais laid.
Je lui ai envoyé une carte à la Saint-Valentin
et elle m'a remercié gentiment – et c'est comme ça
qu'on a commencé à se parler! Maintenant, on se
voit presque tous les soirs. On fait nos devoirs
ensemble. Je l'aide en maths et elle m'aide en anglais,
et puis on sort ou on écoute de la musique. Je me sens
beaucoup plus confiant et mes boutons ont disparu!

En ce moment, j'ai un copain qui s'appelle
Samuel. Il est grand, 1m78 et très sportif.
Il a les cheveux noirs, frisés, et les yeux
marron. Il est vraiment rigolo et il aime
me faire rire. Il se passionne pour le basket.
Nous nous entendons bien, mais je ne sais
pas si ça va durer. Quand on sort le soir,
on va souvent chez un ami qui a un
ordinateur et plein de jeux vidéos et les
gars jouent ensemble. Ça ne m'intéresse pas
tellement. Je trouve les garçons de mon âge
trop égoïstes. Il est vrai qu'ils sont jeunes,
qu'ils doivent s'amuser, mais quand ils
s'engagent à sortir avec nous, ils doivent
prendre conscience que nous sommes là, que
nous les aimons et qu'ils ne doivent pas
nous oublier!

Magazine 4

B

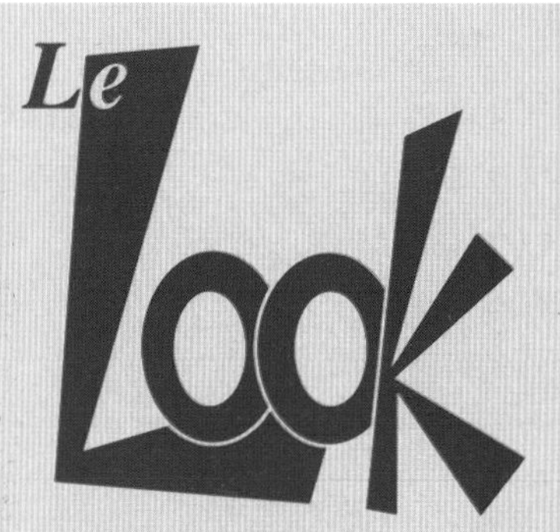

Sois classique!
Pour elle: chemisier poignets mousquetaire, pantalon, gilet sans manches.
Pour lui: pantalon en laine, chemise en coton, cravate en soie et veste en laine fine.

Sois branché!
Pour elle: t-shirt manches longues, gilet en jean, jean délavé, veste en jean.
Pour lui: veste en cuir avec franges, chemise à carreaux à l'américaine, jean large à boutons, casquette de baseball à l'envers.

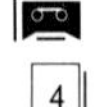

1a Ecoute: Ça coûte combien?

Exemple: Le look classique: chemisier 259F, ...

1b A deux: Choisissez un look et décrivez-le. Attention à l'orthographe!

Exemple: Le look classique: elle porte un chemisier blanc, ...

349 F

Les adjectifs de couleur simples s'accordent avec le nom:

m sing	*f sing*	*m pl*	*f pl*
un jean noir	une jupe noire	des gants noirs	des chaussures noires

Les adjectifs composés sont invariables:

m sing	*f sing*	*m pl*	*f pl*
un gilet bleu foncé	une veste bleu nuit	des tennis bleu-vert	des chaussettes bleu pâle

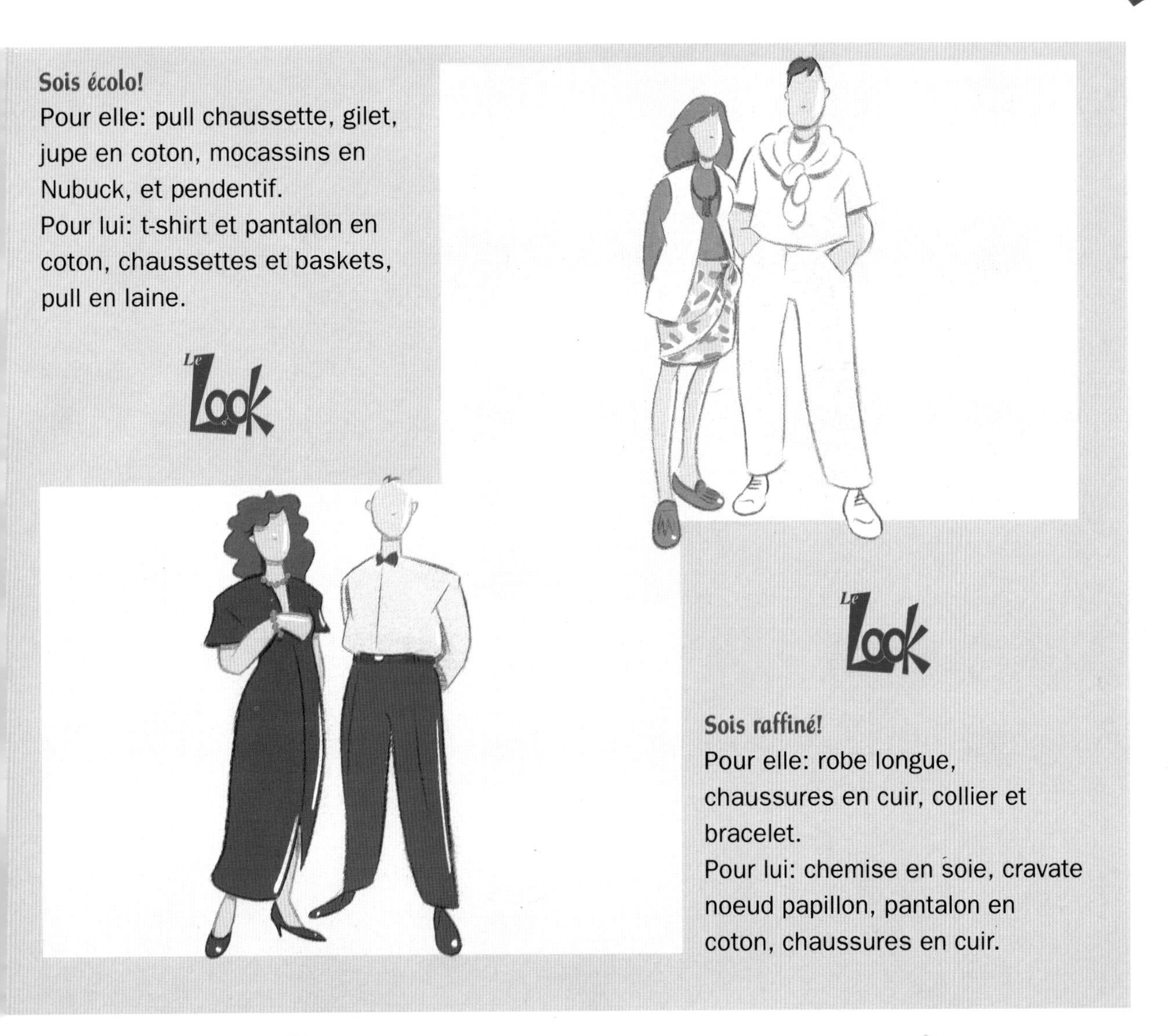

Sois écolo!
Pour elle: pull chaussette, gilet, jupe en coton, mocassins en Nubuck, et pendentif.
Pour lui: t-shirt et pantalon en coton, chaussettes et baskets, pull en laine.

Sois raffiné!
Pour elle: robe longue, chaussures en cuir, collier et bracelet.
Pour lui: chemise en soie, cravate noeud papillon, pantalon en coton, chaussures en cuir.

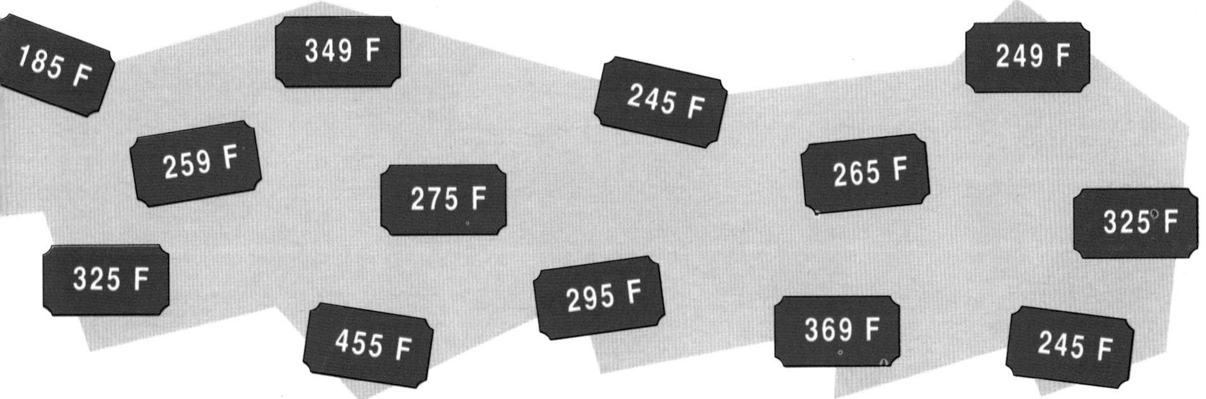

2a En deux minutes fais une liste de 12 vêtements.
Commente ta liste avec un(e) partenaire.

2b Ecoute: Qu'est-ce qu'ils achètent? Ça coûte combien? (1–5)

2c A deux: Travaillez et enregistrez ce dialogue.

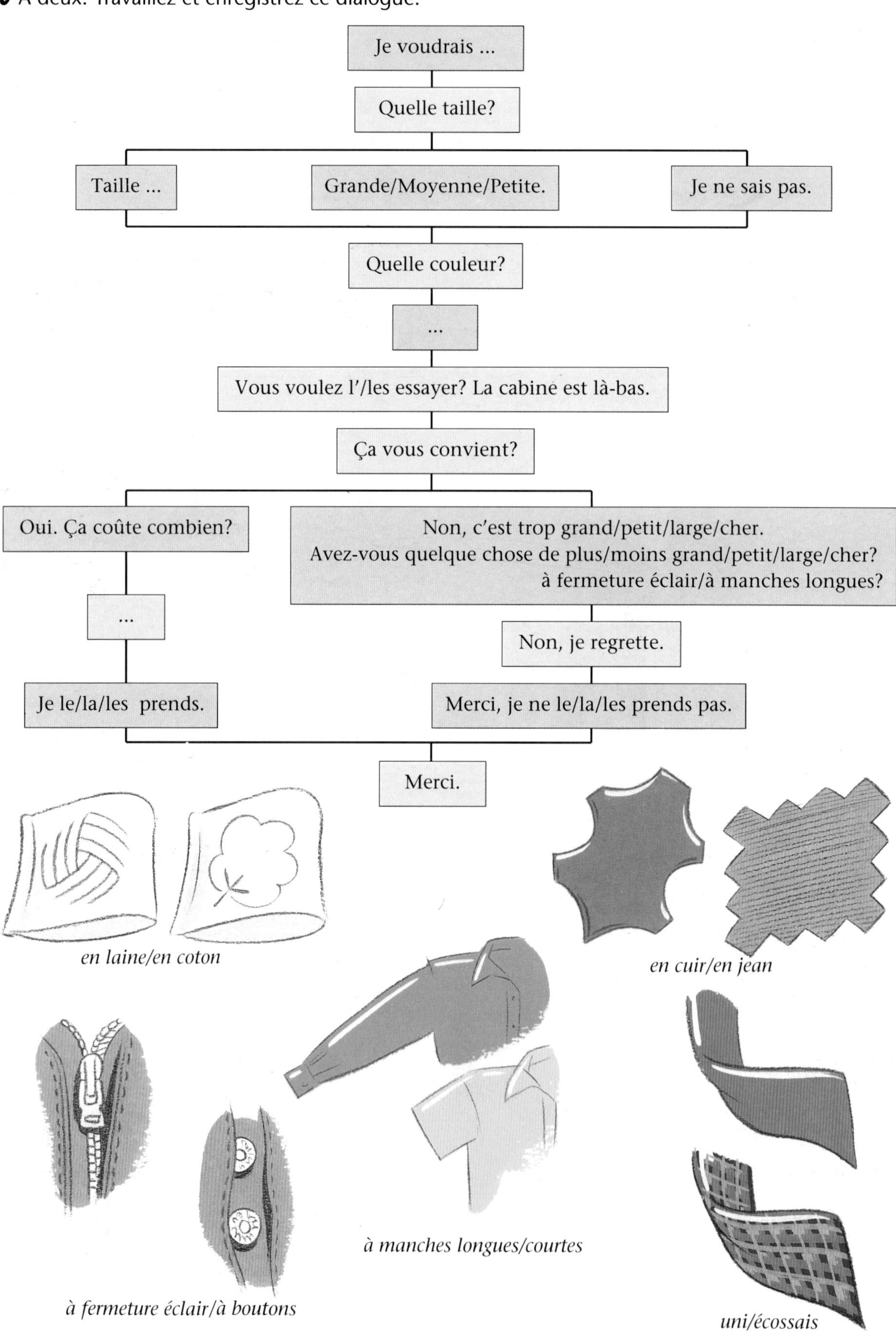

3a A deux: Lesquels préférez-vous?

Exemple: *A:* Quel pull-over préfères-tu? *B:* Je préfère celui-là, en rouge.
A: Quelle robe préfères-tu? *B:* Celle-ci, en bleu.

Flash info

	m sing	*f sing*	*m pl*	*f pl*
this one/these	celui-ci	celle-ci	ceux-ci	celles-ci
that one/those	celui-là	celle-là	ceux-là	celles-là

3b A deux: Chaque partenaire décrit son look et le look de son/sa partenaire.

Exemple: Mon look, c'est le look ... . Mon/Ma partenaire a le look ...

Comparez vos descriptions. D'accord ou pas?

Comment dit-on 'scruffy' en français?

'Débraillé'.

3c Jeu d'imagination:
Tu sortiras samedi soir.
Où est-ce que tu iras?
Qu'est-ce que tu porteras?

Exemple: J'irai en boîte et je porterai ...

Flash info

Verbe: aller

présent:	je vais	*imparfait:*	j'allais
	tu vas	*passé composé:*	je suis allé(e)
	il/elle va	*futur:*	j'irai
	nous allons	*conditionnel:*	j'irais
	vous allez		
	ils/elles vont		

C'est pas encore fini, ce silence?

Petit glossaire du langage des parents

T'es pas encore levé(e)?

«Lève-toi! Tu es déjà en retard. Je veux débarrasser la table et ton père veut aller dans la salle de bains.»

T'es encore au téléphone?

«Tu parles toujours avec tes amis et c'est moi qui paie ... mais il faut que j'écoute un peu avant de dire ça, parce que tu ne me parles pas et je veux savoir ce que tu proposes de faire avec tes copains.»

Ça te ferait du mal de dire, 's'il te plaît' et 'merci'?

«Je fais beaucoup de choses pour toi et je veux que tu sois un peu reconnaissant(e).»

T'as vu l'allure que tu as?

«Si les voisins te voient habillé(e) comme ça/avec les cheveux comme ça, qu'est-ce qu'ils vont penser de moi? ... que mon enfant porte des vêtements ridicules et que je le laisse faire ... que je n'ai pas d'autorité et que je suis mauvais(e) parent(e).»

Comment peux-tu vivre dans un fouillis pareil?

«Il faut absolument ranger ta chambre avant que ton père/ta mère rentre/avant que tes grands-parents arrivent.»

Qu'est-ce que tu fais ce soir?

«Tu n'as pas fini tes devoirs, j'en suis sûr(e), et je préfère que tu ne sortes pas avec la bande parce que je ne sais pas ce que vous faites ensemble et j'ai peur que tu sois influencé(e) à fumer ou à boire.»

D'où sors-tu? C'est à cette heure-là que tu rentres?

«Qu'est-ce que tu as fait? Je n'aime pas que tu rentres aussi tard, parce qu'il y a toujours du danger la nuit dans les rues et j'aurais préféré venir te chercher. Je me suis fait du souci.»

Où sont mes affaires de sport?

«Je ne trouve pas mes affaires et je pense que c'est toi qui as pris mon sac. Je ne trouve pas ma raquette et mes tennis, et la boîte de balles est vide! J'ai un rendez-vous dans une demi-heure et je vais le rater à cause de toi.»

Trouve la bonne explication:

1 T'as vu mon pull?
2 Il y avait du ... dans le frigo.
3 Veux-tu aller en ville cet après-midi?
4 Quelle heure est-il?
5 T'as fini tes devoirs?
6 T'as besoin d'argent?

A Je pense que c'est toi qui l'as pris.
B Tu es en retard.
C Veux-tu me laver la voiture?
D C'est toi qui as mangé le dernier yaourt?
E Je veux que tu me fasses des courses.
F C'est l'heure de sortir le chien.

Peux-tu ajouter d'autres expressions?

C Une décision importante

Le Mans

Toulouse

Le Mans, le 20 août

Cher Patrick,

J'ai passé mon bac cet été, juste après mon dix-huitième anniversaire. J'ai même obtenu de très bons résultats. J'en suis ravi, car je veuse absolument continuer mes études en octobre. J'irai sans doute à l'université. Mais voilà le problème: laquelle?

Aller à l'université du Mans, ça me permettra de continuer à vivre avec ma famille; si je pars ailleurs, je serai loin de mes parents.

Il y a un autre aspect au problème: tu sais déjà que j'ai une petite amie, Magali. Elle étudie à l'université de Toulouse. Nous voudrions être ensemble. Si je pars pour Toulouse, je serai avec elle.

Qu'est-ce que tu en penses?

Amitiés,

Jean-Yves

1a Quelle est ta réaction immédiate à la situation? D'accord ou pas?

1 Jean-Yves est trop jeune pour quitter sa famille.
2 Toulouse est très loin du Mans.
3 Jean-Yves est assez âgé pour partir seul.
4 Il devrait penser à ses études plutôt qu'à sa petite amie.
5 S'il va à Toulouse, il pourra étudier et être avec sa petite amie.
6 Quand on a dix-huit ans, les études ont toujours la priorité.
7 Rester avec la famille, ça sera moins cher.
8 C'est dur pour les parents de laisser partir leur enfant.

As-tu eu d'autres réactions? Si oui, explique-les.

1b Ecoute: Une discussion entre Jean-Yves et sa mère.

1 Quel est le point de vue de la mère de Jean-Yves? Donne deux ou trois points-clés.

Exemple: Sa mère dit que Jean-Yves est trop jeune pour partir seul.

2 Quel est le point de vue de Jean-Yves? Donne deux ou trois points-clés.

Exemple: Jean-Yves dit qu'il ira à la laverie automatique pour laver son linge.

3 Quel est ton avis personnel? Explique pourquoi.

1c Tu es Jean-Yves. Tu penses à Toulouse. Ecris trois phrases.

Exemple: Si je vais à Toulouse, ...

Maintenant, tu es sa mère.
Tu penses au Mans.
Ecris trois phrases.

Exemple: Si tu restes au Mans, ...

Flash info

Si + *présent* ..., *futur* ...:

Si Jean-Yves **va** a Toulouse, il **habitera** un appartement.
Si j'**ai** un appartement, je **ferai** le ménage.

2a A deux: C'est maintenant le moment de choisir. Vous jouez tous les deux le rôle de Jean-Yves. Partenaire A décide de rester au Mans. Partenaire B décide de partir pour Toulouse. Justifiez votre choix.

Exemple: *A:* Voici pourquoi j'ai décidé de rester au Mans: ...
B: Voici pourquoi j'ai décidé de partir pour Toulouse: ...

2b Tu joues encore le rôle de Jean-Yves. Ecris une petite lettre à Magali pour annoncer et justifier ta décision.

2c Lis: Tu es toujours Jean-Yves. Après avoir posté ta lettre à Magali, tu rentres à la maison où tu trouves une lettre qui vient d'arriver ... de Toulouse!

Toulouse, le 2 septembre

Mon cher Jean-Yves,
Je trouve très difficile de t'écrire cette lettre. C'est que, depuis quelques semaines, je sors avec un autre garçon. C'est sérieux, très sérieux. Je t'écris donc pour t'annoncer que c'est fini entre toi et moi. Tu décideras peut-être de ne pas venir à Toulouse.

2d Réagis à la lettre. (Fâché? Triste? Pourquoi?)
Est-ce que la lettre changera ta décision? Pourquoi (pas)?

5 Chez moi

A Ma région

une HLM (habitation à loyer modéré) = *council house/flat*

1a Prépare et enregistre des présentations.

Olivier

Suliman

Chantal

Aline

J'

habite
une maison/une HLM/un immeuble/une ferme/un bungalow/un pavillon/une auberge/
en ville/dans la banlieue/dans un village/à la campagne/sur un lotissement/au bord de la mer/
en montagne

La ville est vieille/petite/grande/moderne/industrielle/touristique/intéressante
Le village est vieux/petit/grand/historique/touristique/intéressant

Elle/Il se trouve
dans le nord/l'ouest/l'est/le sud/le centre (de la France)
près de/loin de ...

la boussole

Il y a
un musée/un château/un centre commercial/un marché/un théâtre/un parc/
un centre sportif/un jardin zoologique/une église/une mosquée/une piscine/une gare/une rivière/
des restaurants/des cinémas/ ...

On peut aller à la/au ...
visiter le/la ...
faire une visite de la ville/une excursion en montagne/ ...

Les avantages/inconvénients sont:
C'est tranquille/animé/ennuyeux
Il fait chaud/froid
Il n'y a pas grand-chose à faire
Il n'y a rien à faire/Il y a beaucoup de choses à faire
On est trop loin de la ville/de ses copains
Si on veut aller au cinéma/en ville, il faut prendre le bus

1b Ecoute et note: Où habitent-ils?
Aiment-ils ou n'aiment-ils pas y habiter? Pourquoi?

Montréal

Grenoble

Bruxelles

Basse-Terre

1c Fais un résumé et commente-le avec un(e) partenaire.

Exemple: Marie-France habite ...
Elle aime y habiter parce que ...
Ce qu'elle n'aime pas, c'est ...

2a Avantage ou inconvénient? Fais deux listes.
Commente tes listes avec un(e) partenaire.

Je partage une chambre avec mon frère/ma soeur.

Ma chambre est trop petite.
J'ai une chambre à moi.

Ma chambre est grande.
Nous n'avons pas de chauffage central.

J'ai assez de place pour faire mes devoirs dans ma chambre.

Je dois faire mes devoirs dans la cuisine.

On ne peut pas avoir d'animal dans l'appartement.

En connaissez-vous d'autres?

2b Où habites-tu? Prépare et enregistre une présentation.
C'est quelle sorte de maison?
Tu y habites depuis quand?
Quels en sont les avantages et les inconvénients?

J'habite un(e) ... en/dans ...		
La maison	est	grande/petite/moderne/vieille
L'immeuble		grand/petit/moderne/vieux
J'y habite (*présent*) depuis cinq ans Les avantages/Les inconvénients sont: ...		

3 A deux: Chaque partenaire choisit une ville, Besançon (p. 68) ou Yverdon (p. 69).
Ecoutez et préparez une présentation sur la ville de votre choix.

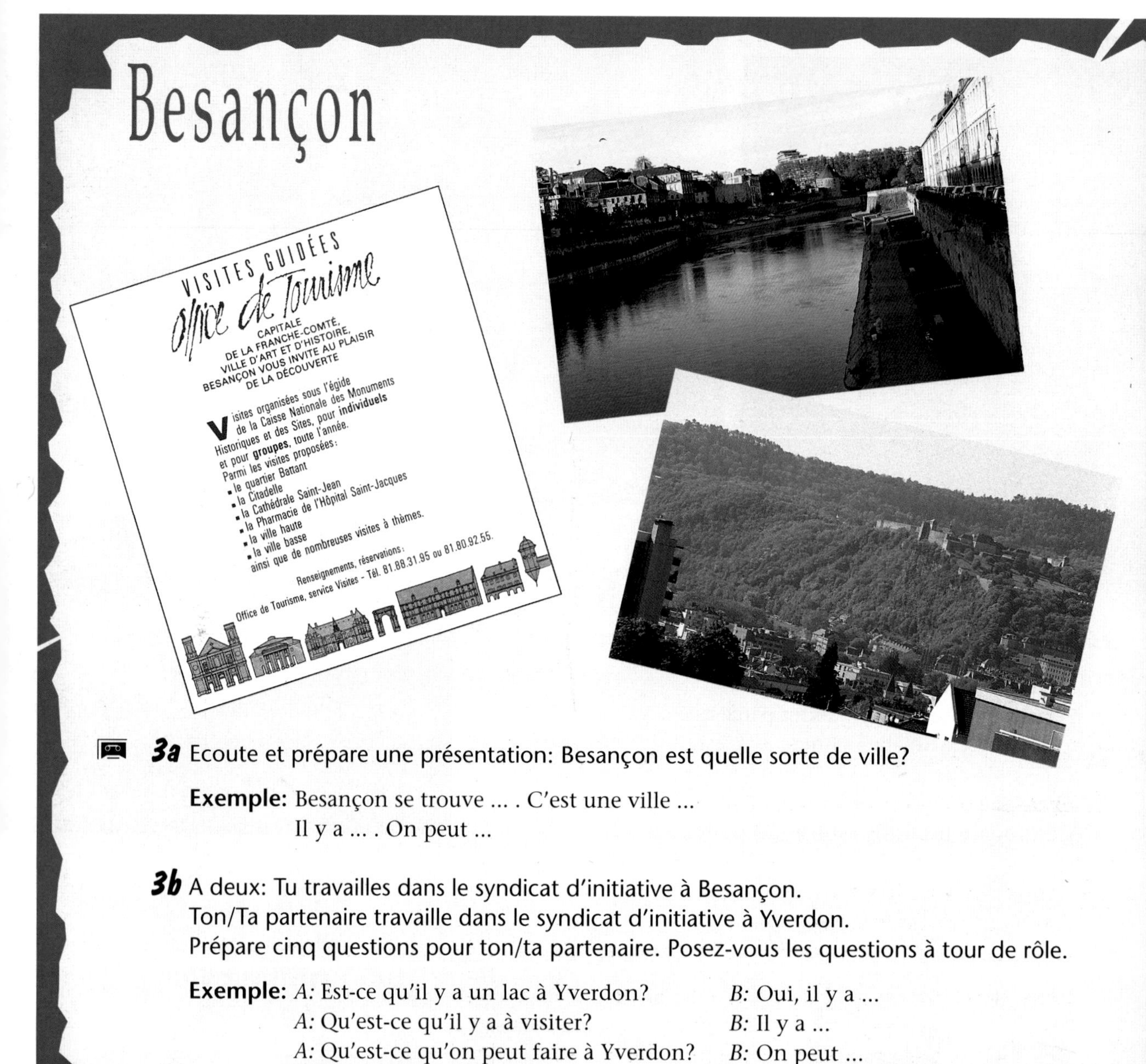

3a Ecoute et prépare une présentation: Besançon est quelle sorte de ville?

Exemple: Besançon se trouve ... . C'est une ville ...
Il y a ... . On peut ...

3b A deux: Tu travailles dans le syndicat d'initiative à Besançon.
Ton/Ta partenaire travaille dans le syndicat d'initiative à Yverdon.
Prépare cinq questions pour ton/ta partenaire. Posez-vous les questions à tour de rôle.

Exemple:
A: Est-ce qu'il y a un lac à Yverdon? — *B:* Oui, il y a ...
A: Qu'est-ce qu'il y a à visiter? — *B:* Il y a ...
A: Qu'est-ce qu'on peut faire à Yverdon? — *B:* On peut ...
A: Est-ce qu'on peut ...? — *B:* Oui, .../Non, mais ...
A: Il n'y a pas de théâtre? — *B:* Si, il y a un théâtre.

3c Compare les deux villes.
Laquelle est plus grande, plus moderne, etc.? Quelles différences y a-t-il?

3d Où préférerais-tu habiter: à Besançon, à Yverdon ou chez toi?
Pourquoi? Prépare ta réponse.

Exemple: Je préférerais habiter à..., parce que ...
Je préfère habiter ici, parce que ...

Yverdon

3a Ecoute et prépare une présentation: Yverdon est quelle sorte de ville?

Exemple: Yverdon se trouve ... . C'est une ville ...
Il y a ... . On peut ...

3b A deux: Tu travailles dans le syndicat d'initiative à Yverdon.
Ton/Ta partenaire travaille dans le syndicat d'initiative à Besançon.
Prépare cinq questions pour ton/ta partenaire. Posez-vous les questions à tour de rôle.

Exemple:

A: Est-ce qu'il y a un lac à Besançon? *B:* Non, mais il y a ...
A: Qu'est-ce qu'il y a à visiter? *B:* Il y a ...
A: Qu'est-ce qu'on peut faire à Besançon? *B:* On peut ...
A: Est-ce qu'on peut ...? *B:* Oui, .../Non, mais ...
A: Il n'y a pas de théâtre? *B:* Si, il y a un théâtre.

Flash info

Verbe: pouvoir *(to be able to)*

présent: je peux, tu peux, il/elle/on peut, nous pouvons, vous pouvez, ils/elles peuvent

imparfait: je pouvais
passé composé: j'ai pu
futur: je pourrai
conditionnel: je pourrais

Connais-tu le Canada?

les Rocheuses

un grizzli

Une visite chez Martine au Québec

Martine

Martine habite la ville de Québec

Les grands-parents de Martine ont une ferme

La famille de Martine a un chalet au bord du lac Louise

Sa grand-mère vend des fruits et des légumes

Magazine 5

Les températures moyennes à Québec ville:

jan	–14	mai	10	sept	12
fév	–10	juin	15	oct	6
mars	–7	juil	20	nov	0
avr	5	août	15	déc	–10

Le saviez-vous?

Le Québec est trois fois plus grand que la France, avec 6 850 000 habitants seulement – c'est-à-dire, moins d'habitants que la région parisienne!

Echange scolaire

1a Voici la famille de ta corres, Martine.
Ecoute: Comment s'appellent-ils? Que font-ils?

Exemple: Sa mère s'appelle ... . Elle est ...

1b Montre une photo de ta famille à Martine.
Prépare et enregistre ce que tu vas lui dire.

Exemple: Voici ma mère. Elle s'appelle ...

2a Ecoute: Martine te décrit sa maison.
C'est quelle pièce?

Exemple: 1 C'est l'entrée.

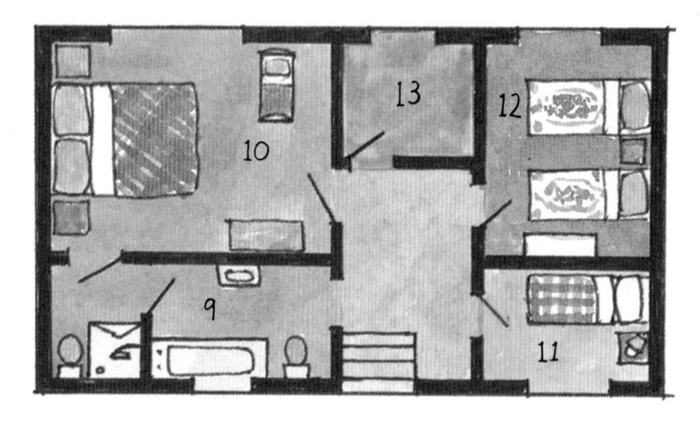

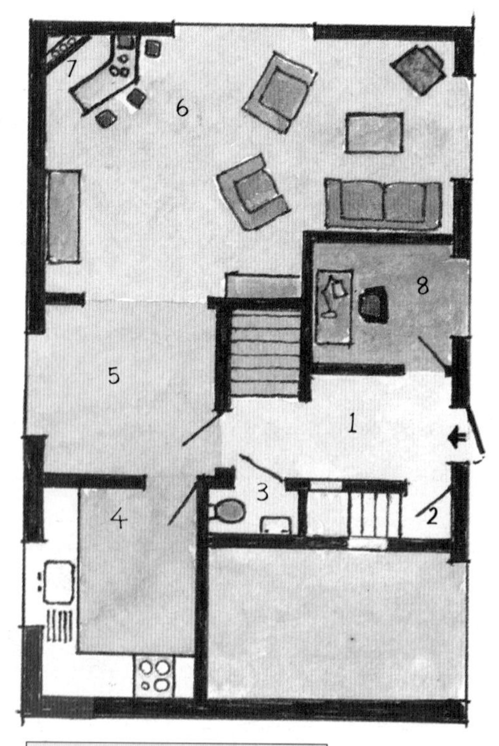

2b Dessine un plan de ta maison pour Martine.
Prépare et enregistre ce que tu vas lui dire.

Ça,	au rez-de-chaussée, au premier étage, à côté de la/du ... entre ... et ...	c'est	la salle à manger le salon ma chambre ...

un débarras = *box room*

3a Martine t'envoie une photo de sa chambre. Décris sa chambre.

Exemple: Sa chambre est ... . Dans sa chambre il y a ...

3b Décris ta chambre. Quels sont les avantages et les inconvénients de ta chambre?

Exemple: Ma chambre est ... . Dans ma chambre il y a ...
Les avantages sont: elle est assez grande ...
Les inconvénients sont: je la partage avec mon frère/ma soeur ...

3c Compare ta chambre avec la chambre de Martine. Laquelle préfères-tu?

Sa chambre est plus/moins ... que la mienne.	
Elle a J'ai	plus/moins de ...
Elle n'a pas Je n'ai pas	de ...
Je préfère ma/sa chambre parce que ...	

4 As-tu un animal? Décris ton animal, ou bien ton animal préféré!

Exemple: Le chien saint-bernard est ...

Il/Elle	est	grand(e)/petit(e) doux/ce/méchant(e)/ ...
	a	la queue longue/courte/blanche/noire/ ... les oreilles longues/courtes/ ...
Son poil	est long/court/lisse/ ...	
Il/Elle	aime/n'aime pas ...	

5a Arrivée chez Martine
A deux: Travaillez ce dialogue.

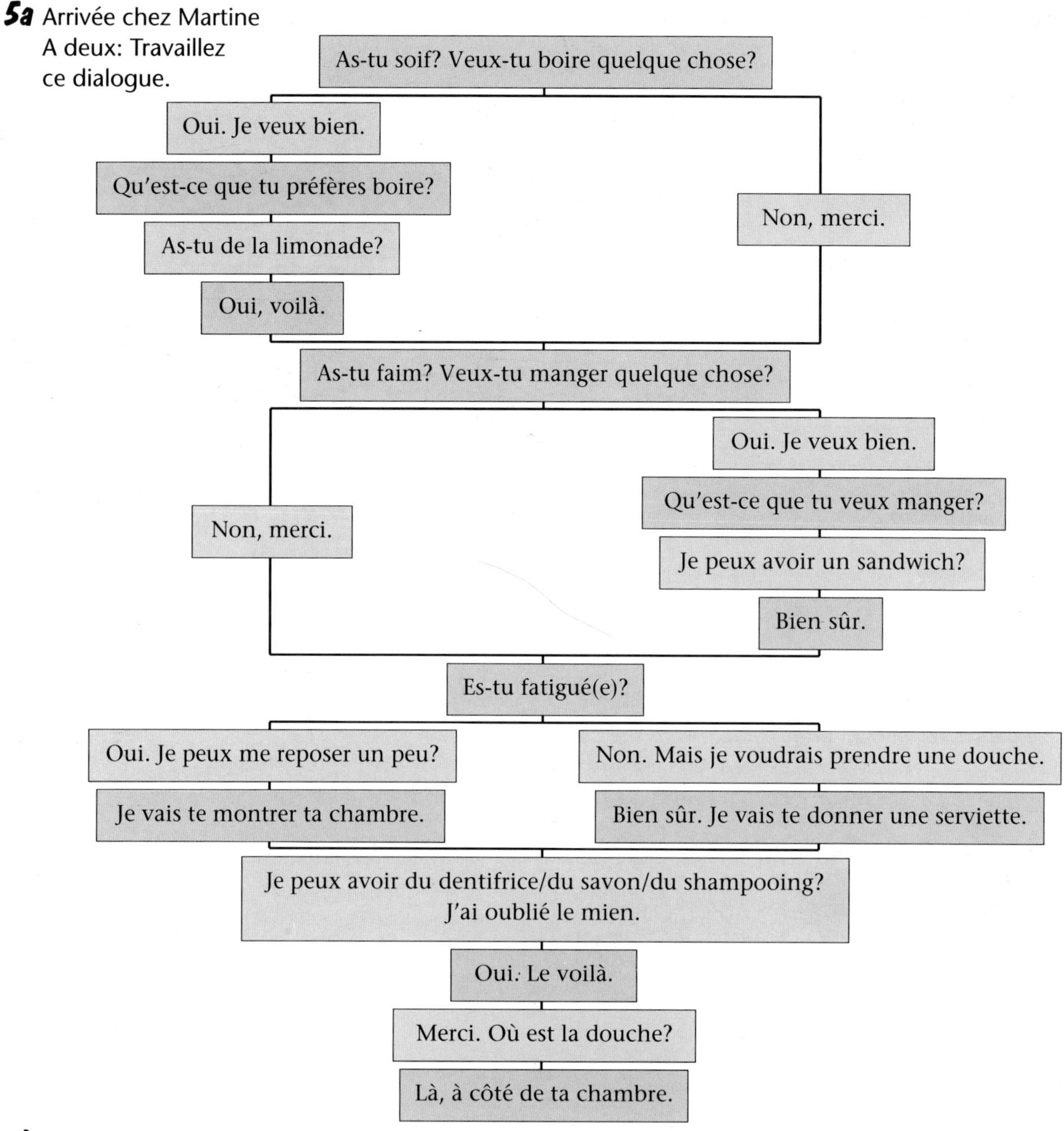

5b Martine/Guillaume arrive chez vous. Prépare ce que tu vas lui dire après le long voyage. Travaille le dialogue avec un(e) partenaire.

Exemple: As-tu soif? Veux-tu boire quelque chose?

5c M. Raffit/Mme Denis arrive chez vous. Qu'est-ce que tu vas lui dire?

Exemple: Avez-vous soif? Voulez-vous boire quelque chose?

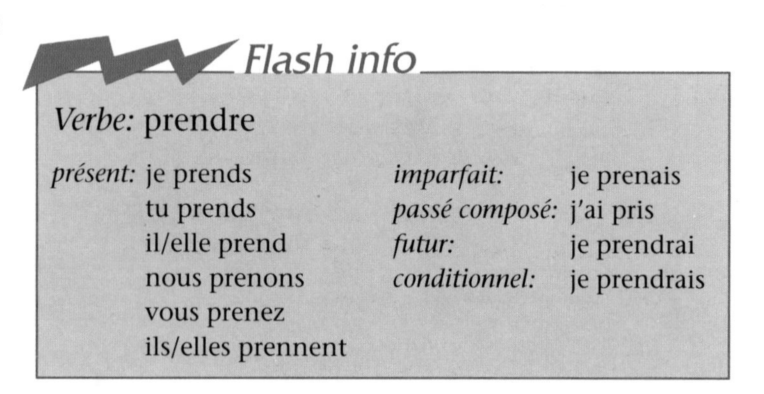

6a Ecoute: Martine t'envoie une cassette.
Elle parle de la visite et te donne des conseils.

Explain what she says in English, for a friend who is also going on the trip but doesn't speak French very well.

Exemple: On Sunday we arrive ...

Programme de la visite:

dimanche
Arrivée 14.30h: En famille

lundi
Journée libre

mardi
Au collège

mercredi
10h Visite de la Citadelle, du château Frontenac et de la Basse-ville

jeudi
10.30h Visite de la réserve nationale de faune du cap Tourmente

vendredi
10.30h Excursion en bateau sur le fleuve Saint-Laurent

samedi
Journée libre

dimanche
Départ 8.30h pour visiter les Rocheuses

la réserve nationale de faune

Programme for the Canadian pupils' visit

Sunday	Arrive 18.45, evening with families
Monday	Free to recover from journey
Tuesday	dep. 10.a.m. Bus trip round area and visit to Castle Howard (stately home)
Wednesday	dep. 8 a.m. Day trip to Alton Towers (amusement/theme park)
Thursday	Visit to school
Fri-Weds	dep. 8 a.m. Outdoor pursuits trip to the Lake District. Stay in youth hostel: walking, canoeing and climbing
Thursday	Free for shopping etc. Disco at school in evening
Friday	dep. 10 a.m. for weekend in London before flying from London

6b Et chez toi? Enregistre une cassette pour envoyer à Martine.
Donne des conseils à Martine/Guillaume.
Qu'est-ce qu'elle/il doit mettre chaque jour?
Prépare ce que tu vas lui dire.

un parapluie

un imperméable

des bottes de caoutchouc

6c Jeu d'imagination: Tu as passé une semaine à Québec. Qu'est-ce que tu as fait? C'était comment? Choisis un des exercices suivants:

1 Fais un résumé de ton séjour.
2 Ecris une page de ton journal intime.
3 Ecris une lettre à un copain/une copine ou à tes parents.

Exemple: 1 Lundi, je suis allé(e) ...
J'ai fait ...
C'était très intéressant!

J'habite à Québec

Québec est le nom d'une ville et d'un territoire d'Amérique du Nord, au sud-est du Canada. La ville de Québec est très belle. La Haute-ville est située sur un promontoire qui domine le fleuve Saint-Laurent. C'est une ville fortifiée. La Citadelle a été construite au 17me siècle. Il y a aussi un vieux quartier près du fleuve qui s'appelle la Basse-ville. Le quartier est plein de petites boutiques et de bars. L'imposant château Frontenac, qui est maintenant un hôtel de luxe et qui est situé sur le promontoire, a été construit en 1893.

Ma famille est française et nous habitons à Québec depuis douze générations. Les premiers membres de la famille sont arrivés par le premier bateau d'émigrés de France. Mes grands-parents habitent toujours la même ferme (rénovée, bien sûr) qui est située près du fleuve non loin de la ville. Nous habitons une maison tout près de la ferme. A la ferme, nous avons des pommiers et des vaches. Nous avons aussi huit hectares d'érables à cent kilomètres de distance environ, dans les montagnes. Là, nous avons un chalet et on va à la pêche et à la chasse. Nous vendons des pommes et du sirop d'érable au marché en ville. En hiver, je vais au parc du Mont-Saint-Anne avec le collège pour faire du ski.

Je bouquine 5

Le territoire du Québec est très grand. On m'a dit qu'il est trois fois plus grand que la France. En été, mon père et moi faisons de grandes randonnées dans les régions du nord. Quelquefois, nous partons en canoë avec une petite tente et nous faisons du camping sauvage. On voit les animaux et on va à la pêche. Nous Québécois sommes passionnés de chasse et de pêche. Nous avons beaucoup de parcs nationaux et régionaux avec beaucoup d'animaux et de poissons.

le gibier à plume

un orignal

un cerf

En automne, nous faisons la chasse au gibier à plume. Des milliers d'oies et de canards s'arrêtent sur le fleuve Saint-Laurent et il est permis de tuer un maximum de quinze grandes oies blanches par personne, cinq par jour pendant trois jours.

En automne, la chasse aux cerfs est ouverte aussi, mais nous ne la faisons plus. Je préfère les regarder ou les filmer. Mon animal préféré est l'orignal, il est énorme. C'est le plus grand des cerfs. Le Québec compte entre 65 000 et 70 000 orignaux, 230 000 cerfs de Virginie et environ un million de caribous. On fait la chasse à l'ours noir aussi, mais je ne voudrais pas en tuer un non plus.

Martine

Il est temps de partir

Sophie, 18 ans, a toujours habité avec ses parents, à Tours. Mais elle a récemment trouvé un emploi à Lille, ce qui fait qu'elle doit trouver un logement. Il y a plusieurs possibilités: un petit hôtel? une chambre chez quelqu'un? une résidence pour les jeunes travailleurs, peut-être?
Elle préfère chercher un petit appartement, et elle obtient un journal lillois où elle consulte la page des annonces immobilières.

1a Lis le profil de Sophie et regarde les annonces.
Peux-tu suggérer une ou deux possibilités pour Sophie? Explique ton choix.

Exemple: Je pense que ... serait convenable, parce que ...

1b Explique pourquoi certaines habitations ne seraient pas convenables.
Par exemple, c'est trop grand? C'est trop cher? C'est trop loin de Lille?

location d'appartements

STUDIO
15m². Chambre avec kitchenette (plaque chauffante), salle d'eau complète (baignoire ou douche), w.c., placards. Deux lits (ou lit double). 6 000 F p.m.

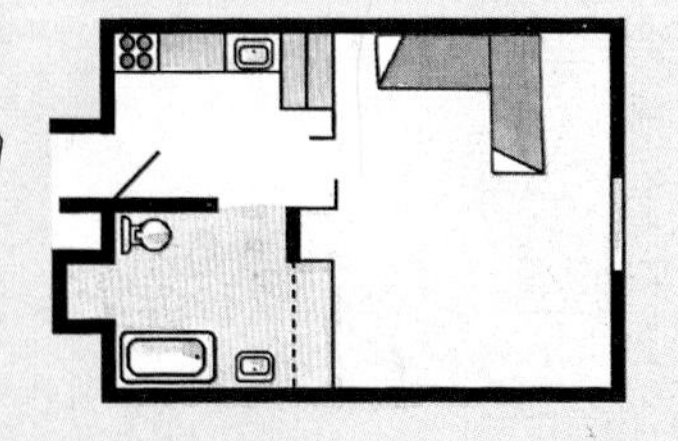

2 PIECES
De 35 à 45m². Entrée, living-room double, une chambre alcôve séparée par un rideau, coin cuisine (voir studio), coin repas, salle de bains (baignoire), w.c. séparés, dressing-room. Un lit double + deux lits simples. 12 500 F par mois.

MAISON à LOUER, 5 km centre-ville, 2 ch, cuisine, gde s.d.b. avec w.c., gd jardin + garage à proximité. Loyer mensuel 10 000 F.

MOBILE HOME à vendre. Idéal vacances ou retraite. 2 ch, douche, coin salon + cuisine. 30 000 F

Cherche **JEUNE FEMME** pour partager chambre chez particulier, à 3 km du centre-ville; frais à partager. 2 800 F mensuel.

2 Sophie va voir l'appartement qui semble le plus convenable.
Le propriétaire l'accompagne. Ecoute leur conversation.

1 Quelle est la première réaction de Sophie quand elle entre dans l'appartement?
2 Elle change d'avis. Pourquoi?
3 Qu'est-ce qu'elle va acheter comme meubles?

3a Ecoute: Pour moi, c'est vraiment nécessaire.
Six jeunes parlent de meubles ou d'autres articles essentiels. Quels articles?

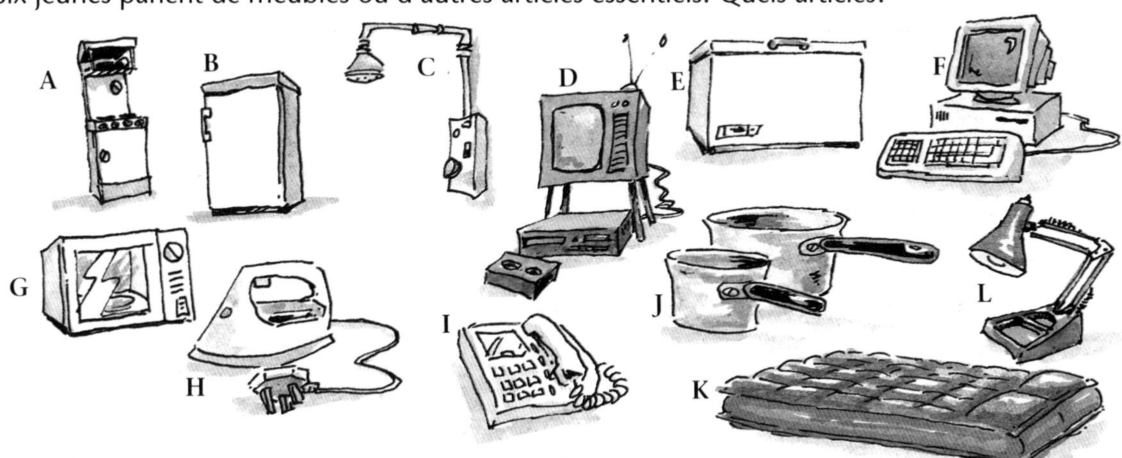

3b Travaillez en groupe: Chacun prépare un petit discours (durée 1 minute), en réponse à ces deux questions:

- Dans ta chambre personnelle, qu'est-ce qui est indispensable?
- Et qu'est-ce qu'il y a dans ta chambre idéale?

Commentez vos réponses.

3c Sophie dresse un plan pour son nouvel appartement.
Aide-la: prépare, à l'écrit, des conseils sur ce qui est utile, nécessaire, etc.

Il faut	un frigo une armoire un aspirateur	pour	garder les provisions fraîches garder les vêtements nettoyer les pièces

4 Enfin, Sophie est bien installée dans son nouvel appartement.
Suggère quatre aspects de sa vie qui ont changé.

Exemple: Avant, sa mère préparait ses repas.
Maintenant, Sophie fait la cuisine elle-même.

⚠ Maintenant ... *présent*
Autrefois ... *imparfait*

5a Vivre avec quelqu'un d'autre, ce n'est pas toujours facile.

Il laisse ses affaires partout dans le salon.

C'est toujours moi qui dois faire la vaisselle.

Il peut sortir jusqu'à minuit. Moi pas!

Elle prend mon vélo sans ma permission.

Elle est toujours en train de parler au téléphone.

Elle ne m'aide jamais avec mes devoirs d'anglais!

A deux: Pensez à d'autres exemples. Ecrivez-les.

Aimez-vous vos frères et soeurs?

Dans chaque numéro, l'un de vous pose une question. Des lecteurs répondent et donnent leur avis. Voici la question d'aujourd'hui:

«Je voudrais poser une question: aimez-vous vos frères et sœurs?» Personnellement, j'ai deux petites sœurs de deux ans et sept ans de moins que moi. Je les adore et elles m'adorent, on est toujours ensemble. Les années d'écart ne changent pas grand-chose. Merci pour vos réponses.

Nathalie, Orléans

«Un frère jumeau, c'est pratique»

J'ai un frère jumeau et un frère plus petit qui a 11 ans. Ma mère dit souvent qu'il est difficile d'avoir un frère jumeau, moi au contraire, je trouve cela très pratique: quand je suis malade, il m'apporte mes leçons et *vice versa*. Comme on a le même âge, on a à peu près les mêmes goûts et on peut facilement jouer ensemble.

François, 13 ans ½

«Je suis fille unique»

J'ai trouvé la question très intéressante. Je suis dans un cas un peu particulier, car je suis fille unique. Souvent, je me dis que j'aimerais bien avoir une petite sœur ou un petit frère, ou bien une grande sœur à qui me confier ... Cela mettrait un peu plus de gaieté et de jeunesse dans la maison, même si dans les disputes, on pense qu'on aurait préféré être fille ou fils unique.

Julie, 11 ans

«On se chamaille sans arrêt»

Moi j'ai une sœur qui a 16 ans et je l'adore, mais ça n'a pas l'air réciproque. On se chamaille sans arrêt; quand je lui dis "Bonjour", elle me répond "Au revoir"; quand je lui pose une question ou que je dis une chose aimable, elle s'en fiche et me répond: "Sors de ma chambre". Tu as vraiment de la chance, tu sais, alors, profites-en bien!

Cécile, 12 ans

«J'ai envie de lui donner des claques»

J'ai une petite sœur qui a 7 ans. De temps en temps, je m'entends très bien avec elle et de temps en temps, j'ai envie de lui donner des claques. Mais je l'adore quand même. Bien sûr, les années d'écart changent beaucoup de choses pour nous: moi je m'occupe de garçons et elle de billes, donc on n'est pas sur le même terrain d'entente.

Julie, 14 ans

«On peut leur faire confiance»

J'ai un grand frère de 18 ans et une grande sœur de 20 ans. Je ne peux pas vraiment dire que je les adore. Il y a des hauts et des bas, mais on peut vraiment leur faire confiance. Souvent les problèmes que j'ai, ils les ont eu également.

Stéphanie, 14 ans

«Nous sommes complices»

Moi, j'ai un frère de 20 ans et j'en suis très fier. Le plus important pour moi, c'est que mon frère et moi, nous soyons prêts à nous aider l'un l'autre.

Guilhem, 12 ans

5b Lis la lettre de Nathalie au magazine OKAPI (page 80) et les réponses.

1 Si tu as un frère ou une soeur, ou même plusieurs, écris ta réponse à la lettre de Nathalie.

2 Si tu n'as ni soeur ni frère, résume les avantages ou les inconvénients d'être fils/fille unique.

Il/Elle	(ne) m'irrite/m'agace (pas) me casse les pieds (ne) me parle (pas)	Ils/Elles	(ne) m'irritent/m'agacent (pas) me cassent les pieds (ne) me parlent (pas)
Je	l'aime bien me dispute avec lui/elle	Je	les aime bien me dispute avec eux/elles
On	se chamaille discute/joue/s'amuse ... ensemble		

6a Simon et Alexandre partagent un appartement depuis six mois. Ecoute-les. Note les problèmes et les bons aspects.

6b A deux: Imaginez une des situations dans lesquelles Alexandre et Simon se confrontent. Jouez le rôle des deux jeunes hommes.

6 La bouffe

A Qu'est-ce qu'on mange?

1a Copie les titres et mets les mots dans la bonne colonne. En connais-tu d'autres? Masculin, féminin ou pluriel? Compare ta liste avec la liste d'un(e) partenaire.

Fruits	Légumes	Céréales/ Pâtes	Produits laitiers	Viandes	Autres	Boissons
les bananes			*le beurre*			

beurre, chou-fleur, boeuf, café, citrons, BANANES, limonade, vin rouge, chocolat, pain, huile, haricots, thé, margarine, yaourt, CRÈME FRAÎCHE, poulet, SPAGHETTIS, pizza

1b Au magasin du coin
A deux: Travaillez le dialogue.

Bonjour, madame/monsieur. Vous désirez?

Avez-vous du .../de la .../des ... ?

Oui. Combien?

un kilo, cinq cents grammes, un litre, un paquet, une boîte, un tube, un verre, une tablette, une tranche, une plaquette

C'est tout?

Non, je regrette. C'est tout?

Oui, c'est tout. Ça coûte combien?

Non. Avez-vous ...?

1c Ecoute: Qu'est-ce qu'ils achètent? Ecris leurs listes. Ça coûte combien?

Exemple: *500g tomates 7F20* | *un paquet de lessive 24F30*

2a Quatre repas par jour
Copie les titres et remplis la grille. C'est pour quel repas?
En connais-tu d'autres? Compare ta liste avec la liste d'un(e) partenaire.

Le petit déjeuner	Le repas de midi	Le goûter	Le repas du soir/Le dîner

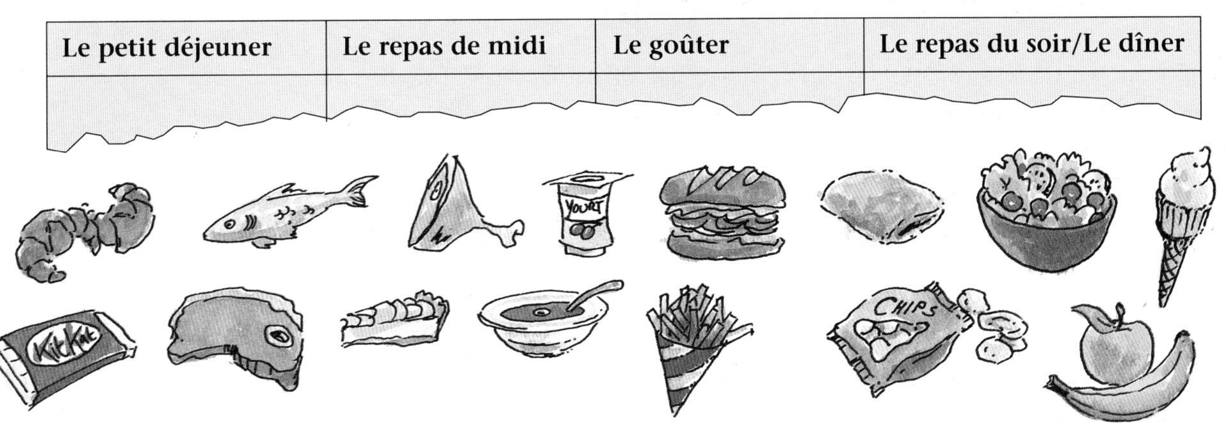

2b Ecoute: Qu'est-ce qu'ils ont mangé hier?
C'était comment? (1–2)
Copie et complète la grille.

Exemple:	mangé	c'était
1 petit déj. repas de midi	*une tartine*	*très bon*

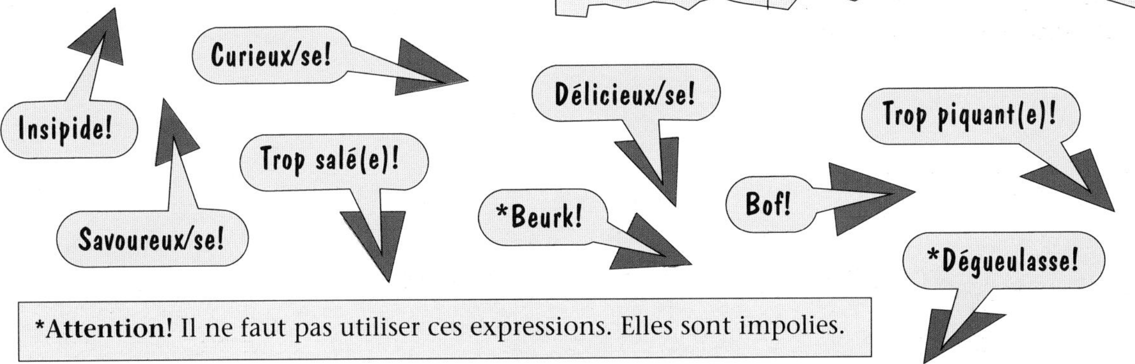

*__Attention!__ Il ne faut pas utiliser ces expressions. Elles sont impolies.

2c A deux: Qu'est-ce que vous avez mangé hier? C'était comment?

Hier,	pour le petit déjeuner à la récré à midi pour le goûter le soir	j'ai mangé ... . C'était ... je n'ai rien mangé

3a Ecoute: Nos plats préférés pour le repas de midi, classe 3a.

Exemple: 1 le steak-frites

3b Les plats préférés de la classe 3a: Dessine un camembert et écris un petit résumé.

Exemple: Dans la classe 3a, la plupart des personnes préfèrent ...
il y a ... personnes qui préfèrent ...

3c Fais un sondage. Choisis une question et pose-la à 12 ou 24 personnes.
Dessine un camembert et écris un résumé des résultats.

Exemple: Quel est ton plat préféré pour le ...?

Le Restaurant

COMPOSEZ VOUS-MÊME
VOTRE MENU

Nos formules, boisson comprise.

55F
SOLO
Un plat
\+ Une boisson *

75F
DUO
Une entrée + Un plat
ou Un plat + Un dessert
ou Une entrée + Un dessert
\+ Une boisson *

95F
TRIO
Une entrée
\+ Un plat
\+ Un dessert
\+ Une boisson *

* Boisson comprise: 25 cl de vin ou une demi-eau minérale ou une bière 25 cl ou un soda 20 cl

Les Entrées

Buffet de hors-d'œuvre.
Terrine de campagne, compote d'oignons.
Omelette au choix, jambon, fines herbes ou fromage.
Potage de légumes.

Entrée(s) du jour:
Consultez l'ardoise.

Les Plats

Faux-filet grillé 160 grs, pommes allumettes.
Coq au vin, pommes vapeur.
Tagliatelles aux champignons et à la crème.
Steak haché 150 grs, œuf et poitrine fumée, pommes allumettes.

Plat(s) du jour:
Consultez l'ardoise.

Les Desserts

Plateau de fromages affinés.
Glace 2 parfums au choix (vanille, chocolat, café, caramel).
Sorbet 2 parfums au choix (cassis, fraise, citron).
Tarte tatin, crème fraîche.
Crème caramel.
Gâteau au chocolat.

Dessert(s) du jour:
Consultez l'ardoise.

Les Boissons

Heineken	25 cl	16 Frs
Évian ou Badoit	50 cl	11 Frs
Évian ou Badoit	100 cl	16 Frs
Coca-Cola	20 cl	11 Frs
Coca-Cola	50 cl	20 Frs
Jus de fruits	20 cl	12 Frs
Schweppes	20 cl	11 Frs
Orangina	20 cl	11 Frs
Café express		7 Frs
Thé ou infusion		7 Frs

Les Vins en carafe

	25 cl	50 cl
Vin blanc AOC: Mâcon villages	14 Frs	28 Frs
Vin rosé AOC: Côtes de Provence	12 Frs	24 Frs
Vin rouge AOC: Bordeaux Grandes Bornes	16 Frs	32 Frs
Vin rouge de pays: Coteaux des Baronnies 12° Vol	10 Frs	20 Frs

4a Travaillez à trois. A tour de rôle, vous êtes le serveur/la serveuse et les deux clients. Qu'est-ce qu'on prend? Qu'est-ce qu'on dit?

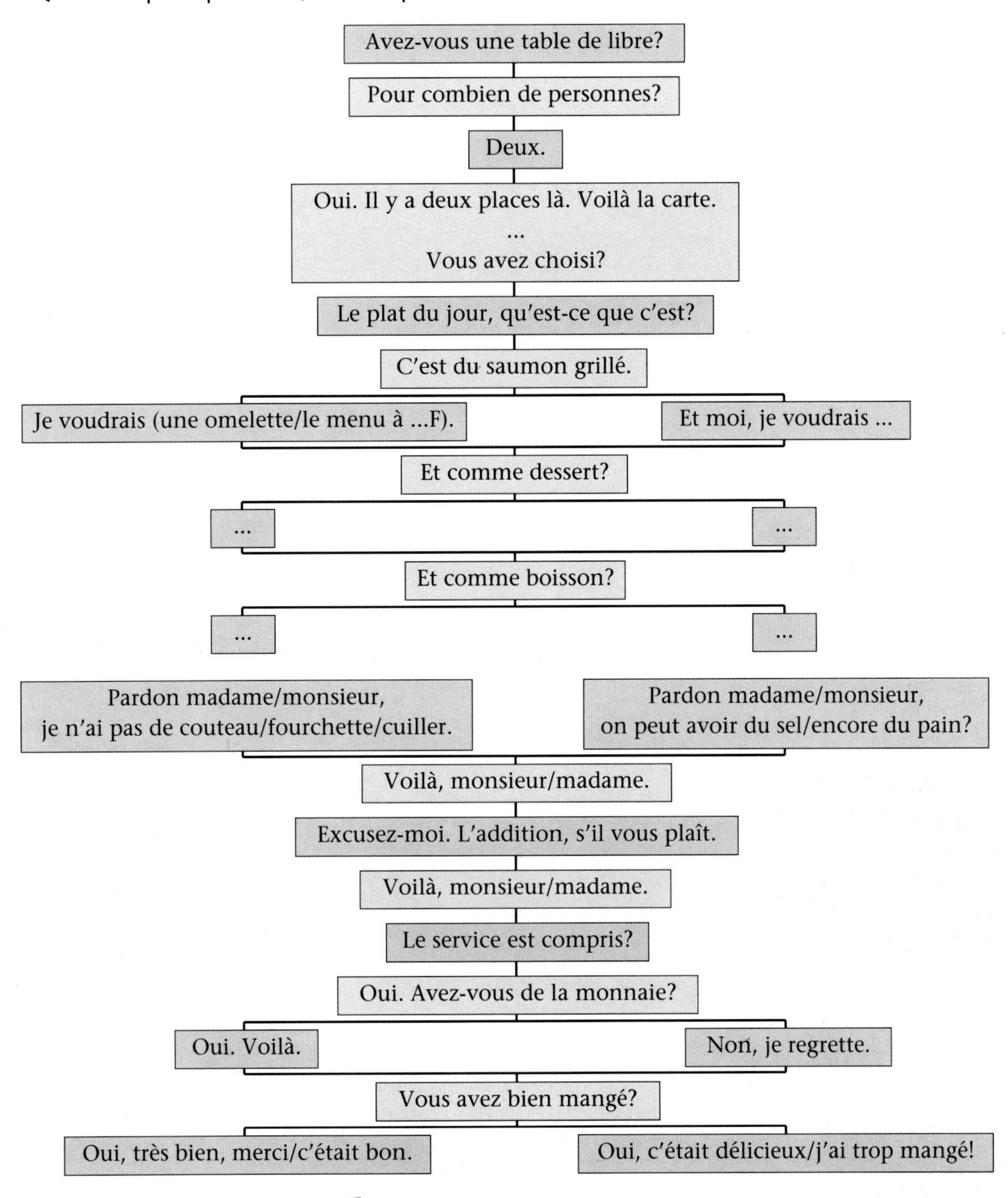

4b Ecoute: Qu'est-ce qu'ils prennent? Ça coûte combien? (1–3)

Exemple:
Le menu à: ...F

Flash info

Verbe: manger

présent:	je mange	nous mangeons	*imparfait:*	je mangeais
	tu manges	vous mangez	*passé composé:*	j'ai mangé
	il/elle mange	ils/elles mangent	*futur:*	je mangerai
			conditionnel:	je mangerais

Le goût de la France!

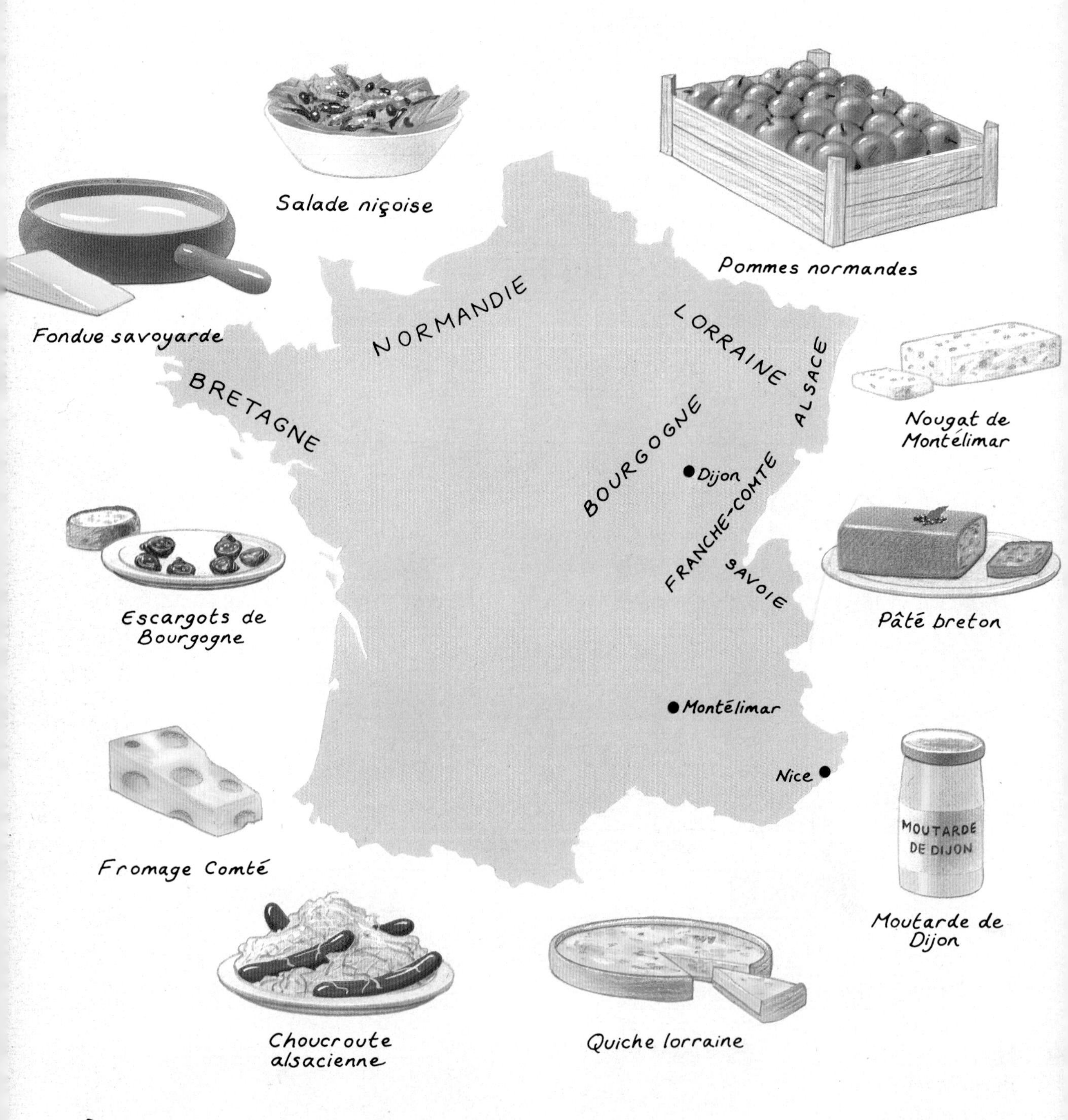

A Fais un reportage pour un journal de classe: 'Des spécialités culinaires de France'.

B Fais un reportage sur les spécialités culinaires de ta famille ou de ta région.

Magazine 6

Déjeuner du matin

Il a mis le café
Dans la tasse
Il a mis le lait
Dans la tasse de café
Il a mis le sucre
Dans le café au lait
Avec la petite cuiller
Il a tourné
Il a bu le café au lait
Et il a reposé la tasse
Sans me parler
Il a allumé
Une cigarette
Il a fait des ronds
Avec la fumée
Il a mis les cendres
Dans le cendrier
Sans me parler
Sans me regarder
Il s'est levé
Il a mis
Son chapeau sur sa tête
Il a mis
Son manteau de pluie
Parce qu'il pleuvait
Et il est parti
Sous la pluie
Sans une parole
Sans me regarder
Et moi j'ai pris
Ma tête dans ma main
Et j'ai pleuré.

Jacques Prévert
Extrait du livre PAROLES

Le passé composé

mettre *(to put)*	il a mis
boire *(to drink)*	il a bu
prendre *(to take)*	il a pris

La nourriture

Manger bonne santé!

Le cerveau est un organe comme les autres, et il faut le nourrir.

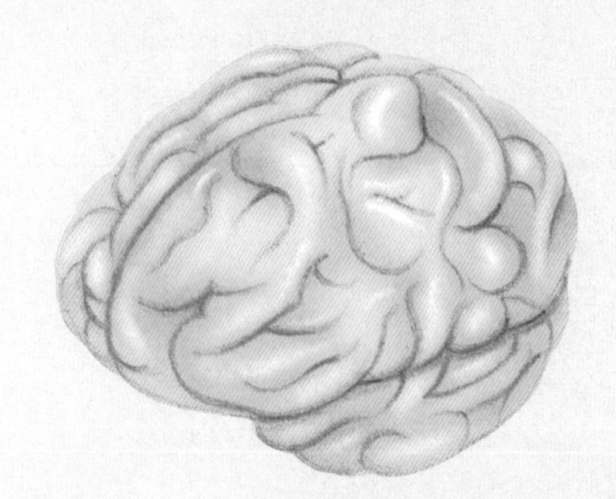

Les aliments qui contiennent des nutriments pour le cerveau sont:

- les **fruits** comme les oranges, qui contiennent la vitamine C, qui aide à lutter contre les toxiques;
- les **légumes secs** – les lentilles, etc. – qui contiennent du cuivre, qui aide à prévenir des troubles psychomoteurs;
- la **viande** et les **oeufs** qui apportent le fer, sans lequel l'organisme devient anémié.

lutter = *to fight*
le cuivre = *copper*
les graisses saturées = *saturated fats*

1a Que sais-tu? Quels aliments sont bons pour

a le cerveau
b la peau
c les cheveux
d les yeux
e la voix
f les os
g les ongles?

Compare ta liste avec la liste d'un(e) partenaire. Est-ce que vous en mangez assez?

1b Vrai ou faux? Compare tes réponses avec les réponses d'un(e) partenaire. D'accord ou pas?

1 Il faut manger beaucoup de graisses saturées.
2 La viande est pleine de vitamines et de fer.
3 Le poisson apporte des graisses qui sont bonnes pour la santé.
4 Les oeufs ne sont pas très riches en protéines.
5 Les légumes frais sont très bons: ils sont riches en fibres.
6 Le lait apporte le calcium et la vitamine D, ce qui est très bon pour les os.
7 Les oignons sont riches en vitamines qui aident l'activité du système nerveux.

2a Echange scolaire
Ecoute: Qu'est-ce qu'on va manger en France?
Nicolas t'a préparé une cassette. Ecris un résumé de ce qu'il dit en anglais pour quelqu'un qui ne comprend pas bien le français.

2b Chez ton/ta corres
A deux: Qu'est-ce que vous voulez manger et boire?

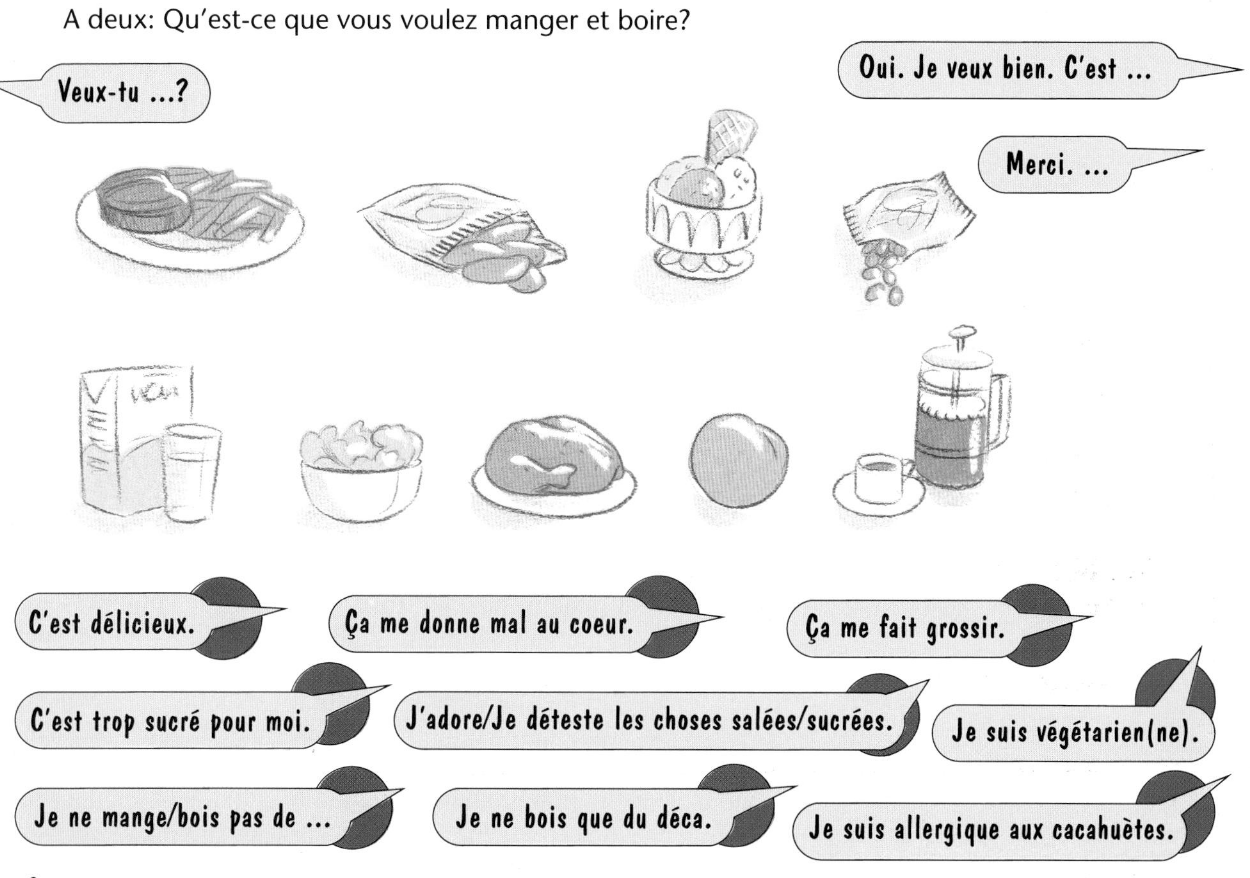

2c Nicolas va venir chez toi. Explique-lui ce qu'il va manger chez toi.
Enregistre une cassette ou écris-lui une lettre.

2d Ecoute: Comment ont-ils trouvé ça? (1–2)

+ + +	+ +	+	0	–	– –	– – –
Délicieux/se!	Savoureux/se!	Intéressant(e)!	Bof!	Insipide!	*Beurk!	*Dégueulasse!

*Il ne faut pas utiliser ces expressions. Elles sont impolies.

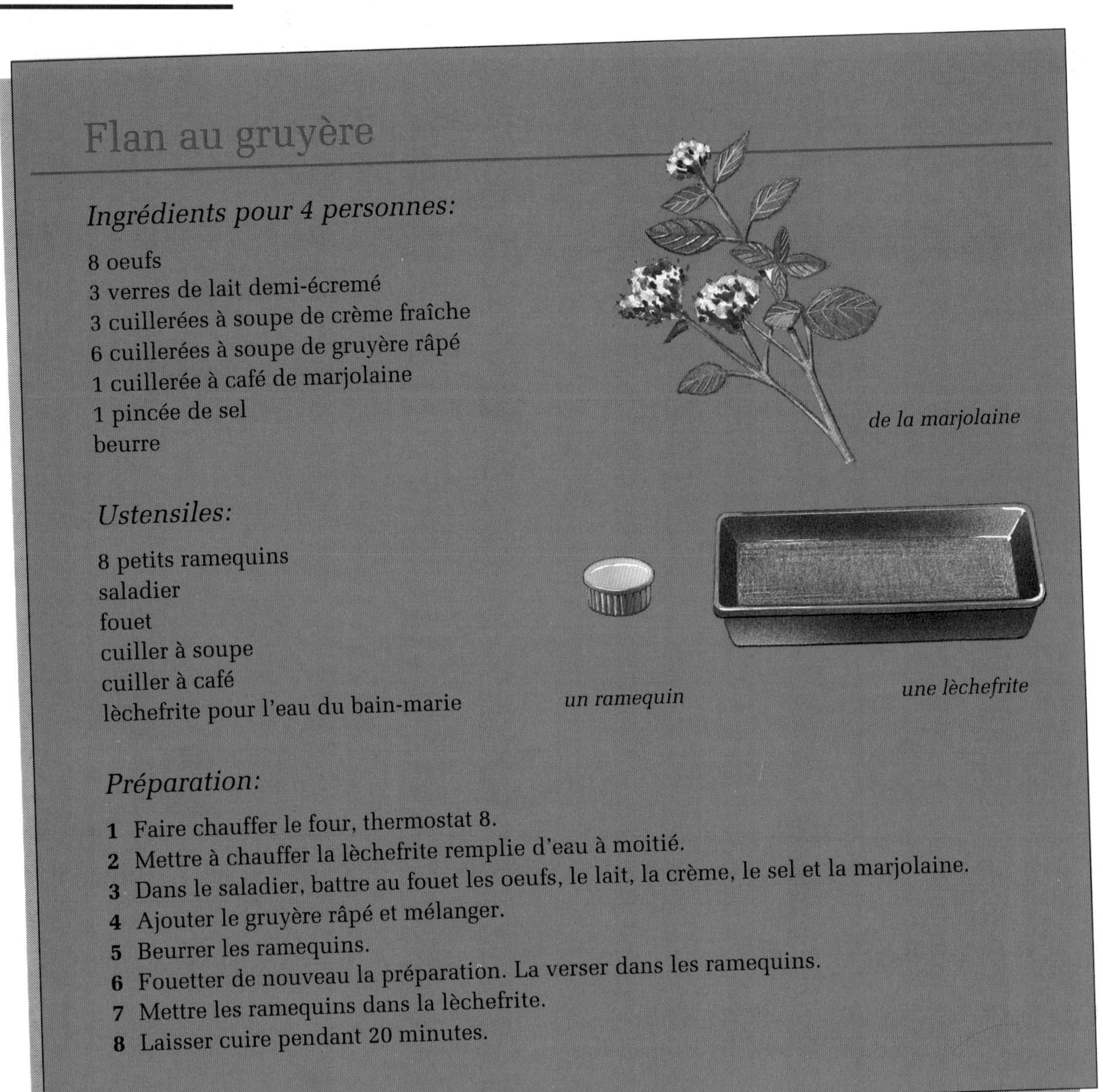

Flan au gruyère

Ingrédients pour 4 personnes:

8 oeufs
3 verres de lait demi-écremé
3 cuillerées à soupe de crème fraîche
6 cuillerées à soupe de gruyère râpé
1 cuillerée à café de marjolaine
1 pincée de sel
beurre

de la marjolaine

Ustensiles:

8 petits ramequins
saladier
fouet
cuiller à soupe
cuiller à café
lèchefrite pour l'eau du bain-marie

un ramequin

une lèchefrite

Préparation:

1 Faire chauffer le four, thermostat 8.
2 Mettre à chauffer la lèchefrite remplie d'eau à moitié.
3 Dans le saladier, battre au fouet les oeufs, le lait, la crème, le sel et la marjolaine.
4 Ajouter le gruyère râpé et mélanger.
5 Beurrer les ramequins.
6 Fouetter de nouveau la préparation. La verser dans les ramequins.
7 Mettre les ramequins dans la lèchefrite.
8 Laisser cuire pendant 20 minutes.

3a Choisis le bon dessin pour chaque instruction.

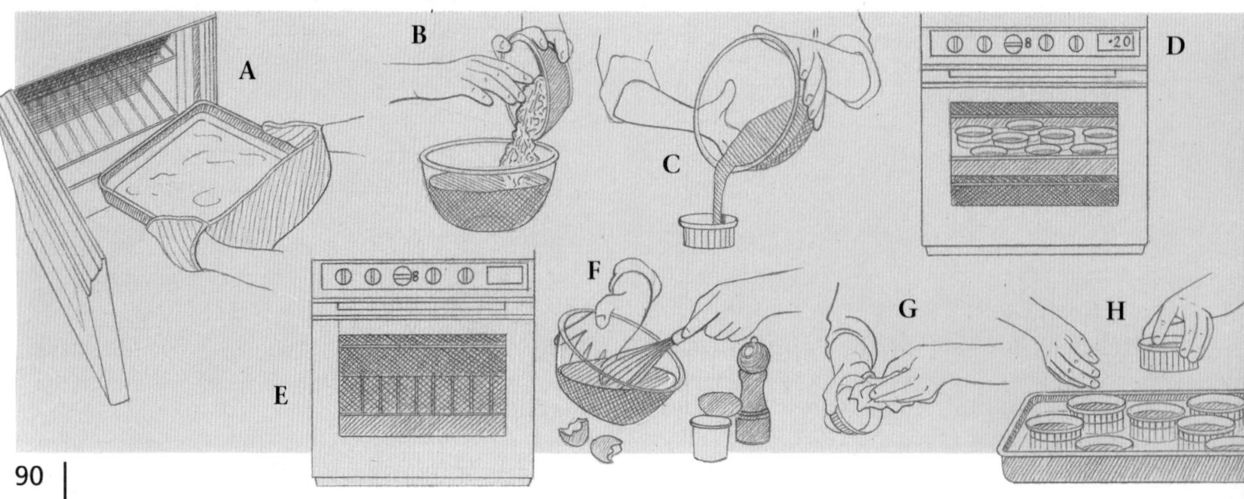

3b Ecris la recette et les instructions pour le riz cantonais.

> *Verbes-clés!*
>
> faire bouillir/chauffer/cuire
> ajouter/baisser (la température)/battre/casser/couper/laisser/laver/mélanger/mettre/remuer/verser

3c Choisis un plat typique de ta région ou de ta famille. Ecris la recette et les instructions en français.

> *Verbes-clés!*
>
> beurrer/conserver (au réfrigérateur)/couvrir/décongeler/enlever (la peau/le noyau)/essuyer/fariner/fouetter/garder/hacher/parsemer/peler/préchauffer/préparer/remplir

Flash info

Verbe: boire

présent:		*imparfait:*	je buvais
	je bois	*passé composé:*	j'ai bu
	tu bois	*futur:*	je boirai
	il/elle boit	*conditionnel:*	je boirais
	nous buvons		
	vous buvez		
	ils/elles boivent		

choucroute de ménage

1 heure

Plats Régionaux

Il faut :

1 kg 500 de choucroute crue
0 kg 500 de pommes de terre
150 g de margarine
3 carottes
1 oignon piqué de 5 clous de girofle
500 g de lard de poitrine fumé
300 g de couenne
6 saucisses de Strasbourg
300 g de saucisson à l'ail
1/2 litre de vin blanc sec
1/2 citron
10 baies de genièvre (facultatif)
sel
poivre

Inutile de laisser tremper la choucroute. Gagnez du temps en la faisant simplement blanchir : mettez-la chauffer dans une bassine d'eau. Dès que l'écume est remontée à la surface, égouttez la choucroute. Arrosez-la d'eau froide. Egouttez-la et pressez-la entre les mains.

Tapissez le fond de la cocotte-minute avec les morceaux de couenne, le côté gras contre le fond. Ajoutez les baies de genièvre, l'oignon piqué de clous de girofle, les carottes coupées en deux, puis la moitié de la choucroute, sel, poivre. Disposez dessus le lard de poitrine, la margarine en petits morceaux et le saucisson piqué. Recouvrez avec le restant de la choucroute. Salez, poivrez. Arrosez de jus de citron et de vin blanc. Fermez la cocotte-minute et laissez cuire 25 minutes à partir de la mise en mouvement de la soupape.

Ouvrez la cocotte-minute. Ajoutez-y les pommes de terre crues mais épluchées. Refermez la cocotte-minute. Laissez tourner la soupape pendant 10 minutes.

Pendant ce temps, plongez les saucisses dans une casserole d'eau froide. Faites chauffer, sans bouillir, une dizaine de minutes. Servez la choucroute garnie avec la charcuterie.

Prépare ce que tu vas dire pour expliquer à une personne qui parle anglais comment préparer la choucroute.

Le saviez-vous?

L'oeuf est très riche en protéines, mais ce serait un aliment encore plus complet si l'on mangeait sa coquille, qui est une parfaite source de calcium!

Bon étudiant – bon p'tit déj.

Le réveil sonne ... encore dix minutes au lit ... et ... voilà! On est en retard et il faut sauter le p'tit déj. C'est la course contre la montre pour gagner l'autobus.

Mais sauter le p'tit déj., c'est le pire qu'un étudiant puisse faire pour sa capacité de travail, son inspiration et sa créativité. Des études récentes ont démontré que les jeunes qui prennent un bon petit déjeuner conservent dans la matinée une vivacité et une qualité d'attention bien supérieures à celles des jeunes qui quittent la maison sans manger.

Prendre un bon petit déjeuner signifie faire le plein d'énergie, laquelle fournit notamment au cerveau le glucose dont il a besoin pour se maintenir en état d'activité. Quand le cerveau est bien nourri, il devient plus facile de se concentrer, d'écouter, de prendre part aux discussions, aux décisions, de poser des questions, etc.; bref, d'être un bon étudiant.

Je bouquine 6

C Un régime «bonne santé»

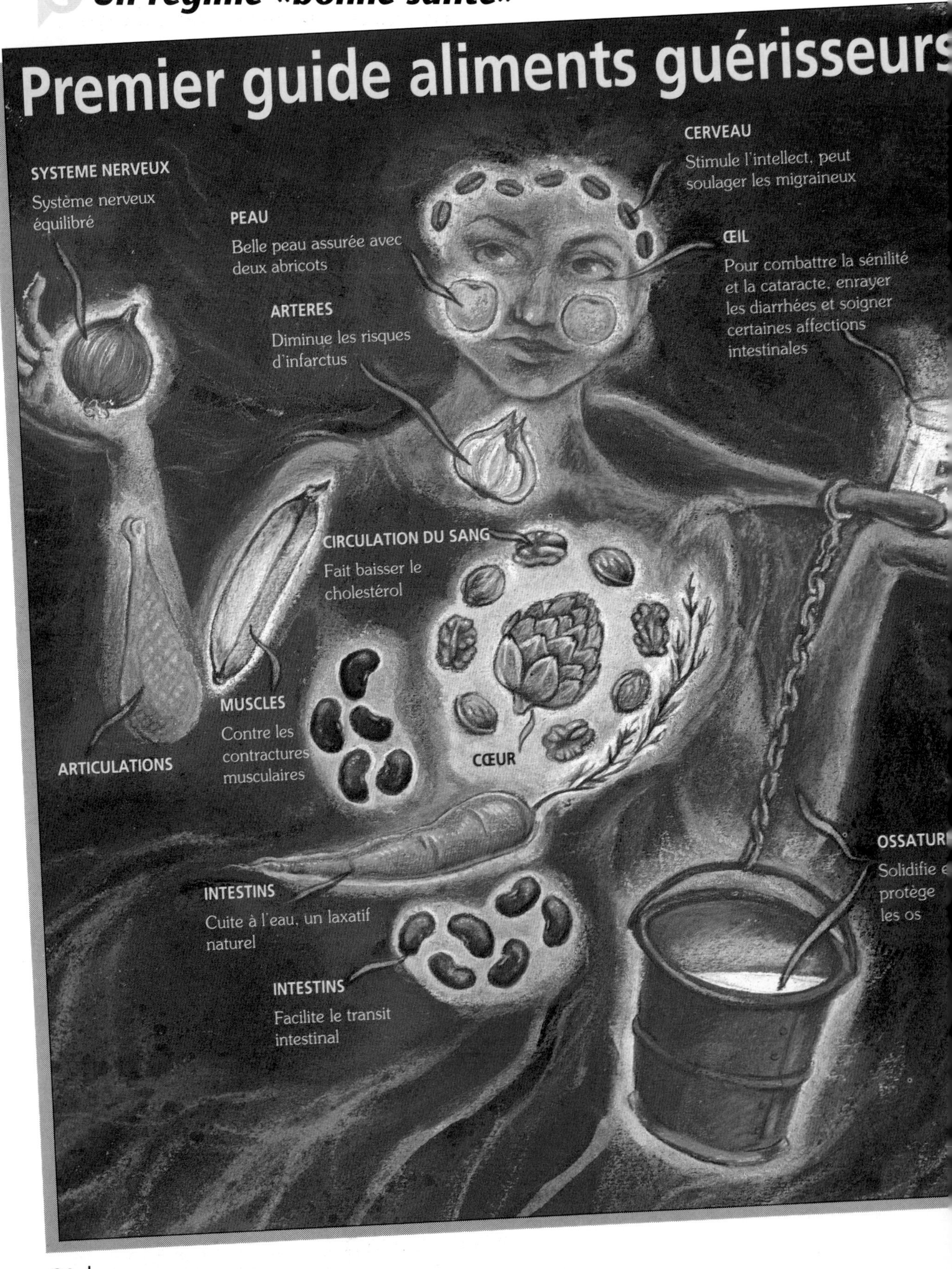

Premier guide aliments guérisseurs

CERVEAU

Stimule l'intellect, peut soulager les migraineux

SYSTEME NERVEUX

Système nerveux équilibré

PEAU

Belle peau assurée avec deux abricots

ŒIL

Pour combattre la sénilité et la cataracte, enrayer les diarrhées et soigner certaines affections intestinales

ARTERES

Diminue les risques d'infarctus

CIRCULATION DU SANG

Fait baisser le cholestérol

MUSCLES

Contre les contractures musculaires

ARTICULATIONS

CŒUR

OSSATURE

Solidifie et protège les os

INTESTINS

Cuite à l'eau, un laxatif naturel

INTESTINS

Facilite le transit intestinal

Nous mangeons mal. Un tiers des Français mangent trop – un autre tiers des Français font ou ont fait un régime. On mange plus souvent pour se nourrir que pour le plaisir de manger. Nous oublions qu'il existe de véritables régimes "bonne santé".

La nutrition, explique le docteur Curtay, nutrithérapeute, est le plus puissant moyen de prévention connu pour, par exemple, diminuer à peu près de moitié les risques de maladies cardio-vasculaires et de cancer. Elle contribue aussi de manière très importante à restreindre les risques d'infections ou les mal-formations chez l'enfant.

Les recettes préconisées sont simples: préférer le poisson à la viande rouge; manger cru ou à la vapeur; jouer la carte des fibres; restreindre le sucre; avoir son comptant en vitamines A et E (formidables anti-âge) et en vitamine C, antifatigue et facteur immunitaire. La consommation de fruits et de légumes est indispensable à une bonne santé.

1a Regarde bien l'image, et complète.
Si tu veux tester ta mémoire, cache la page!

Exemple: 1. Les abricots sont bons pour la peau.

1 Les abricots sont bons pour ...
2 Les bananes sont bonnes pour ...
3 Le lait est bon pour ...
4 Les artichauts ...

m sing	*f sing*	*m pl*	*f pl*
bon	bonne	bons	bonnes

Maintenant, continue en composant les phrases entières toi-même.
(Vérifie d'abord si les aliments sont *masculins* ou *féminins*, pour bien utiliser **bon**, **bonne**, **bons**, **bonnes**.)

1b Lis l'article à gauche. Vrai ou faux?

1 La plupart des Français mangent bien.
2 Beaucoup de régimes sont mauvais pour la santé.
3 Les Français mangent principalement pour le plaisir de manger.
4 La nutrition peut prévenir certaines maladies.
5 La viande rouge est meilleure pour la santé que le poisson.
6 Il vaut mieux manger beaucoup de sucre.
7 La vitamine C empêche la fatigue.
8 Il faut surtout manger beaucoup de fruits et de légumes.

1c Discutez en groupes de trois ou quatre.
Avez-vous mangé de façon équilibrée pendant la semaine dernière? Posez-vous ces questions:

- Qu'est-ce que tu as mangé hier soir?
- Etait-ce un repas équilibré? Pourquoi?
- Combien de fois as-tu mangé des fruits/des légumes/...?

7 En ville

A Aux magasins

1a Combien de genres de magasins est-ce que tu peux nommer en deux minutes? Compare ta liste avec la liste d'un(e) partenaire.

1b Ecoute et vérifie ta liste. Cherche les mots inconnus.

1c Qu'est-ce qu'on peut y acheter? Ajoute trois articles qu'on peut acheter dans chaque magasin.

Exemple: A la quincaillerie, on peut acheter des piles, un seau et ...

1d Ecoute: Qu'est-ce qu'ils achètent? Ils paient combien? (1–7)

Exemple: Il/Elle achète un/une/du/de la/de l'/des ... . Ça coûte ... francs.

2a Echange scolaire: Monique est chez toi.
Explique-lui: C'est quel genre de magasin? Qu'est-ce qu'on peut y acheter?

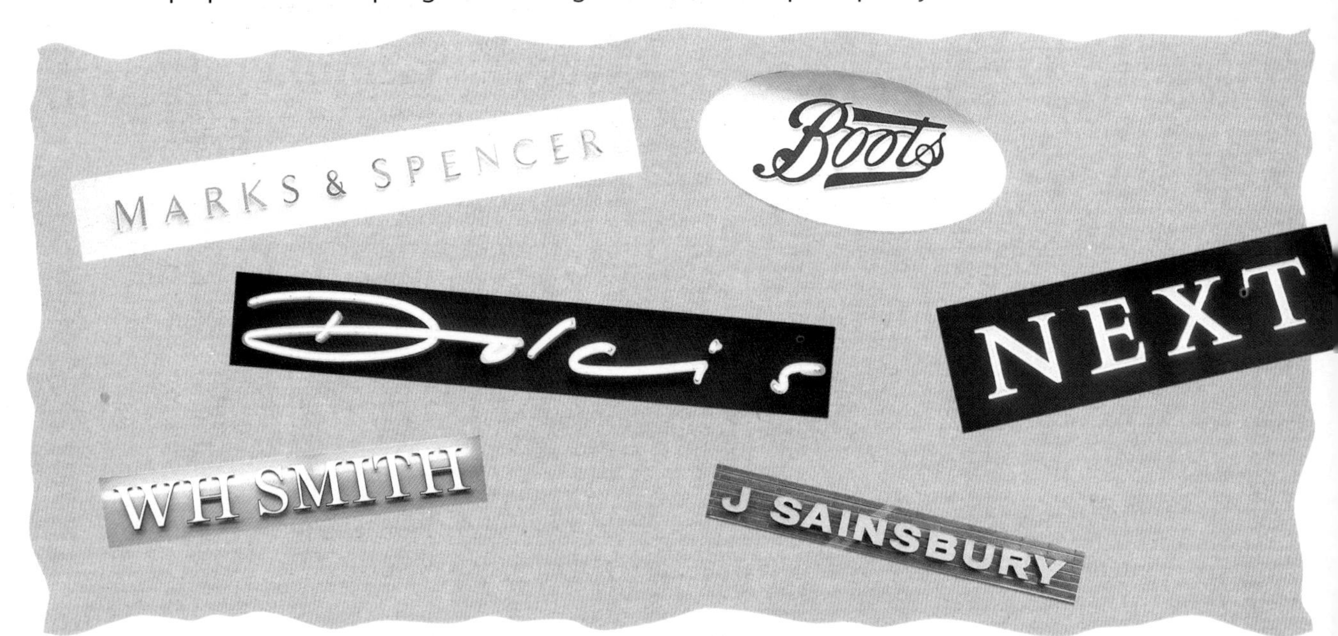

Exemple: W.H. Smith, c'est une librairie/papeterie. On peut y acheter des livres, des journaux et des articles de bureau.

Connais-tu d'autres magasins?

2b Qu'est-ce que Monique veut acheter?
Où faut-il aller?
Prépare ce que tu vas lui dire.

Exemple:
Pour le cahier, il faut aller à une librairie/papeterie.
Il y en a une qui s'appelle Smith's.
On peut acheter les chaussettes à la/au/à l' ...

3a A deux: A tour de rôle, vous êtes le/la client(e) et le vendeur/la vendeuse.

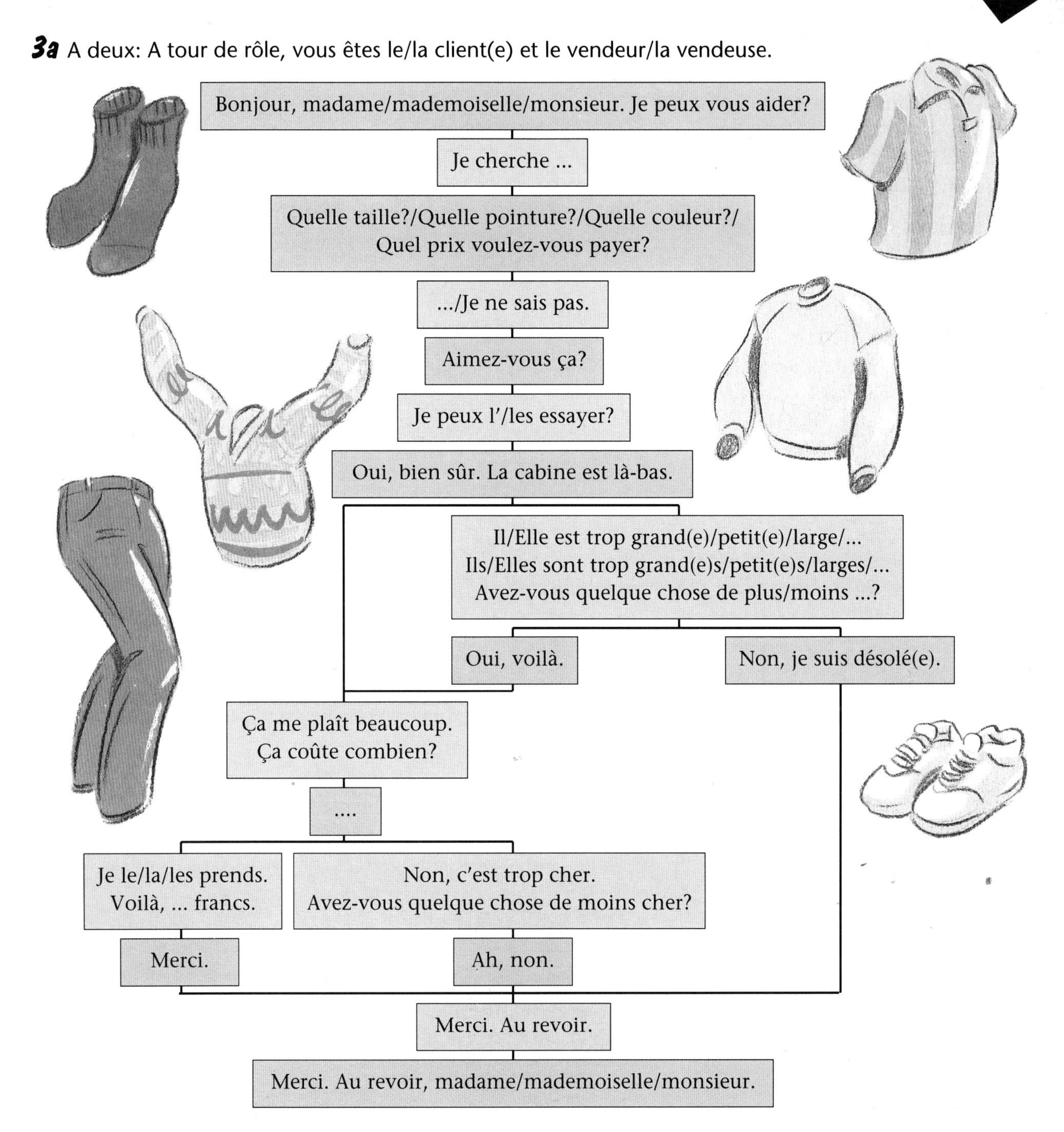

3b Ecoute: Qu'est-ce qu'ils veulent acheter? Qu'est-ce qui ne va pas? (1–4)

Exemple: Il/Elle veut acheter ..., mais ...

Ça ne va pas!

Client(e):
Pardon madame, j'ai acheté ce/cette/cet ... hier et ...
il y a un trou/la fermeture éclair ne marche pas/
il y a une tache sur la manche/il manque un bouton.

Vendeur/se:
Je vais voir s'il y en a un(e) autre/d'autres ...
Non, je regrette. Je vais vous rembourser.
Venez à la caisse ... et signez ici. Bon, voilà.

4a Ecoute: Ils reçoivent combien d'argent de poche?
Ils le dépensent comment? (1–6)

4b Et toi? As-tu de l'argent de poche?
Tu le dépenses comment?

Exemple: J'achète/Je dépense mon argent pour ...
J'économise pour ...

Il/Elle	reçoit ... par semaine/par mois	
	achète le dépense pour	des vêtements des trucs pour le collège
	économise pour	les vacances acheter un vélo

5a Ecoute: A la banque (1–4)
Qu'est-ce qu'ils veulent changer?
Ils reçoivent combien de francs?

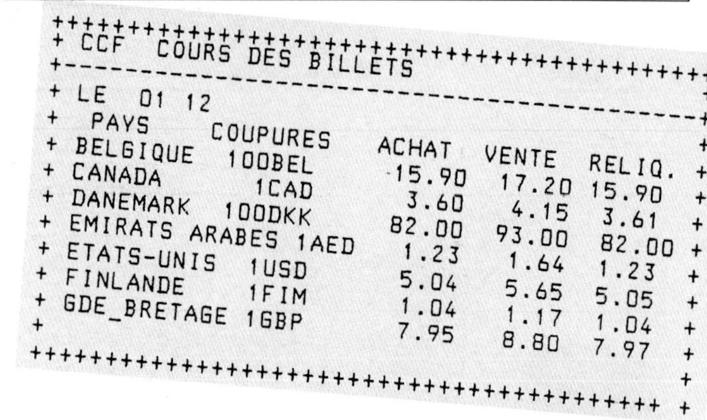
CCF COURS DES BILLETS
LE 01 12

PAYS	COUPURES	ACHAT	VENTE	RELIQ.
BELGIQUE	100BEL	15.90	17.20	15.90
CANADA	1CAD	3.60	4.15	3.61
DANEMARK	100DKK	82.00	93.00	82.00
EMIRATS ARABES	1AED	1.23	1.64	1.23
ETATS-UNIS	1USD	5.04	5.65	5.05
FINLANDE	1FIM	1.04	1.17	1.04
GDE_BRETAGE	1GBP	7.95	8.80	7.97

5b A deux: Travaillez ce dialogue.

Je voudrais changer de l'argent. / Je voudrais changer des chèques de voyage.

Avez-vous une pièce d'identité?

Oui, voilà mon passeport/ma carte d'identité.

Dans quelle devise?

Des livres sterling (£)./Des dollars australiens/canadiens ($).

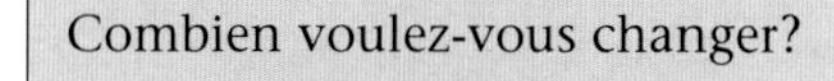
Combien voulez-vous changer?

£25 / £45 / $50 / $75

Le cours est à ... francs la livre/le dollar.
Il y a une commission de 30 francs.
Signez ici, s'il vous plaît.

Voilà.

Bon. Ça fait ... francs pour ... livres/dollars.

Je peux avoir des pièces de 10 francs?

Voilà.

Merci.

Je vous en prie.

les pièces

les billets

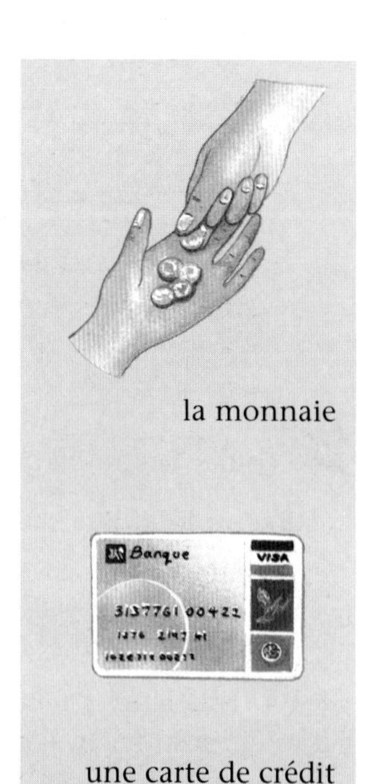

la monnaie

une carte de crédit

6a A deux: A la poste. Travaillez ce dialogue.

6b A deux: Maintenant, faites des dialogues en changeant les mots en italiques.

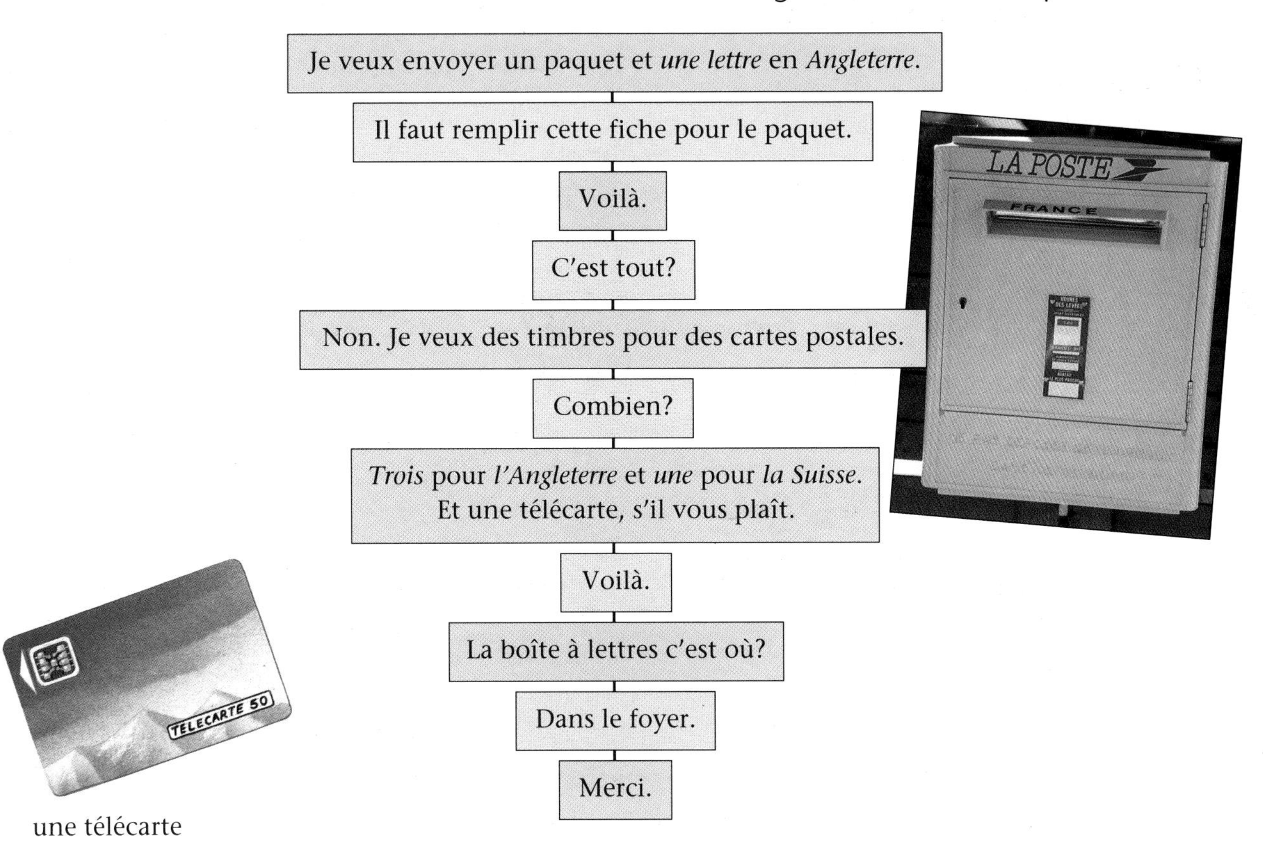

Je veux envoyer un paquet et *une lettre* en *Angleterre*.

Il faut remplir cette fiche pour le paquet.

Voilà.

C'est tout?

Non. Je veux des timbres pour des cartes postales.

Combien?

Trois pour *l'Angleterre* et *une* pour *la Suisse*.
Et une télécarte, s'il vous plaît.

Voilà.

La boîte à lettres c'est où?

Dans le foyer.

Merci.

une télécarte

6c Choisis deux lettres à écrire.

- **a** Une lettre à ton/ta corres pour lui souhaiter un bon anniversaire et l'inviter chez toi
- **b** Une lettre aux parents de ton/ta corres pour les remercier de ta visite en France
- **c** Une lettre au syndicat d'initiative d'une ville que tu vas visiter avec tes parents
- **d** Une carte postale ou une lettre à un(e) petit(e) ami(e) que tu as rencontré(e) pendant ta visite en France!

Phrases-clés

En haut de la lettre, on écrit le lieu et la date: *Paris, le 20 août*

On écrit à un(e) ami(e):
On commence par:
Cher ..., /Chère ...,
et on finit par:
Meilleurs voeux/Amitiés/Je t'embrasse

On écrit à quelqu'un qu'on ne connaît pas:
On commence par:
Monsieur,/Madame,
Pouvez-vous m'envoyer une brochure ...
Je vous serais reconnaissant(e) de bien vouloir m'indiquer le prix ...
et on finit par:
Dans l'attente de votre réponse, je vous prie d'agréer, Monsieur/Madame, l'expression de mes sentiments respectueux

Flash info

Verbe: acheter

présent:	je achète	*imparfait:*	j'achetais
	tu achètes	*passé composé:*	j'ai acheté
	il/elle achète	*futur:*	j'achèterai
	nous achetons	*conditionnel:*	j'achèterais
	vous achetez		
	ils/elles achètent		

Un alphabet de Paris

Exemple: **A** pour l'Assemblée nationale, le parlement de la France.
B pour ...

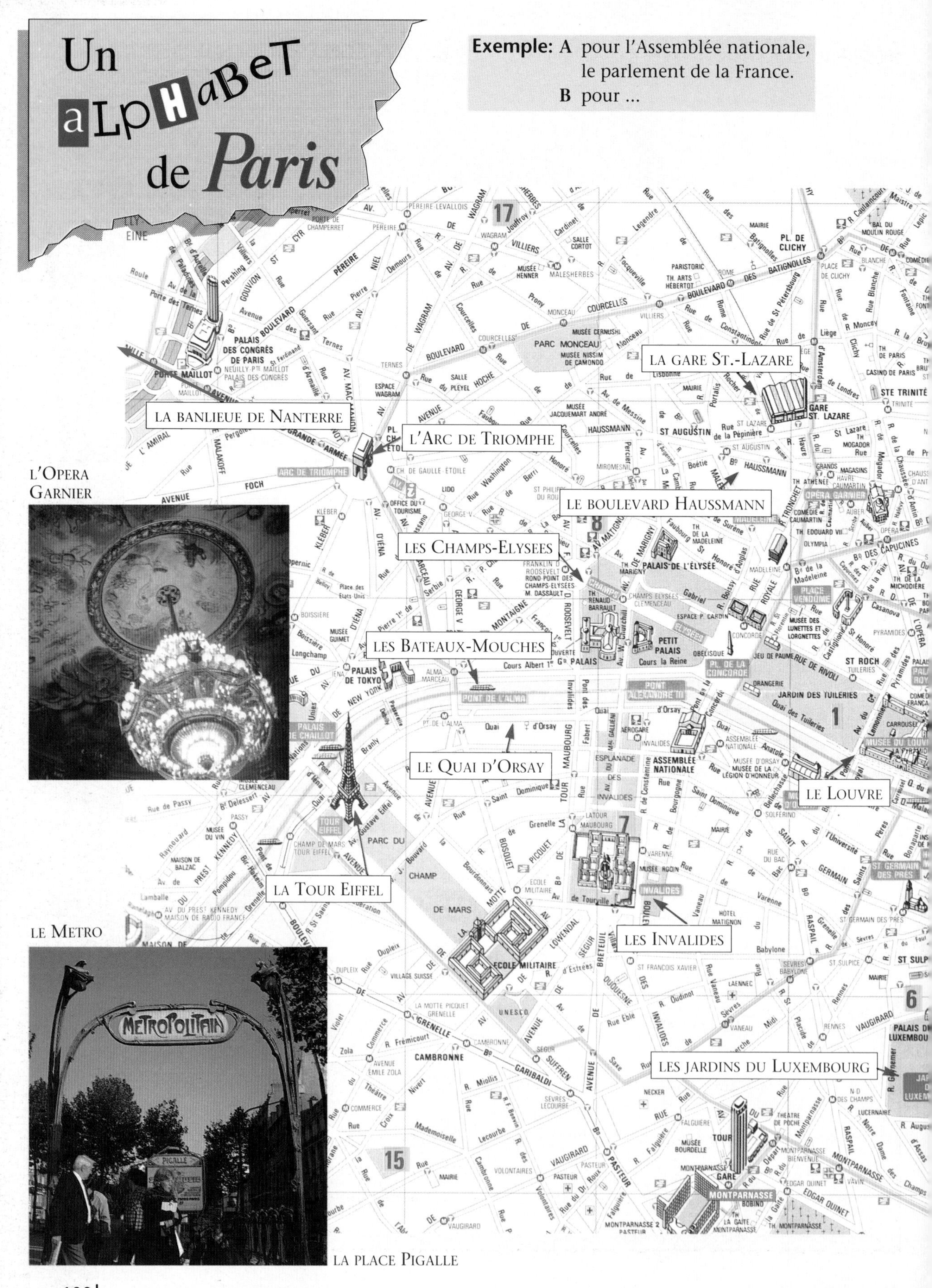

L'OPERA GARNIER

LE METRO

LA PLACE PIGALLE

Pour des renseignements sur Paris, s'adresser à l'office du tourisme de Paris, au 127, avenue des Champs-Elysées.

Roissy, l'aeroport Charles-de-Gaulle

Une adresse moins connue

LES EGOUTS angle quai d'Orsay – pont de l'Alma (7e)

L'ingénieur Balgrand durant le règne de Napoléon III (1852–70) fit construire 2 100 kilomètres de galeries souterraines, pour rendre la capitale plus saine sans polluer la Seine. Avant la construction des égouts, on jetait toutes les ordures et les eaux sales dans la rue! Beurk!!

B Une journée à Paris

1 Qu'est-ce que vous avez fait? Choisis deux exercices et écris dans deux styles différents:

a un reportage de la journée pour un journal de classe
b un poème: 'Paris'
c une page de ton journal intime: 'Une journée à Paris avec ...'
d une lettre à tes parents racontant la visite

Flash info

Attention aux verbes!

passé composé:	j'ai mangé		je suis allé(e)	
	il/elle a vu		il/elle est allé(e)	
	nous avons visité		nous sommes allé(e)s	
imparfait:	j'avais	faim	j'étais	fatigué(e)
	il/elle avait	soif	il/elle était	fatigué(e)
	nous avions	mal à la tête	nous étions	fatigué(e)s

2a Ecoute et regarde le plan de Besançon. (1–6) Qu'est-ce que c'est?

Exemple: 1 C'est la gare.

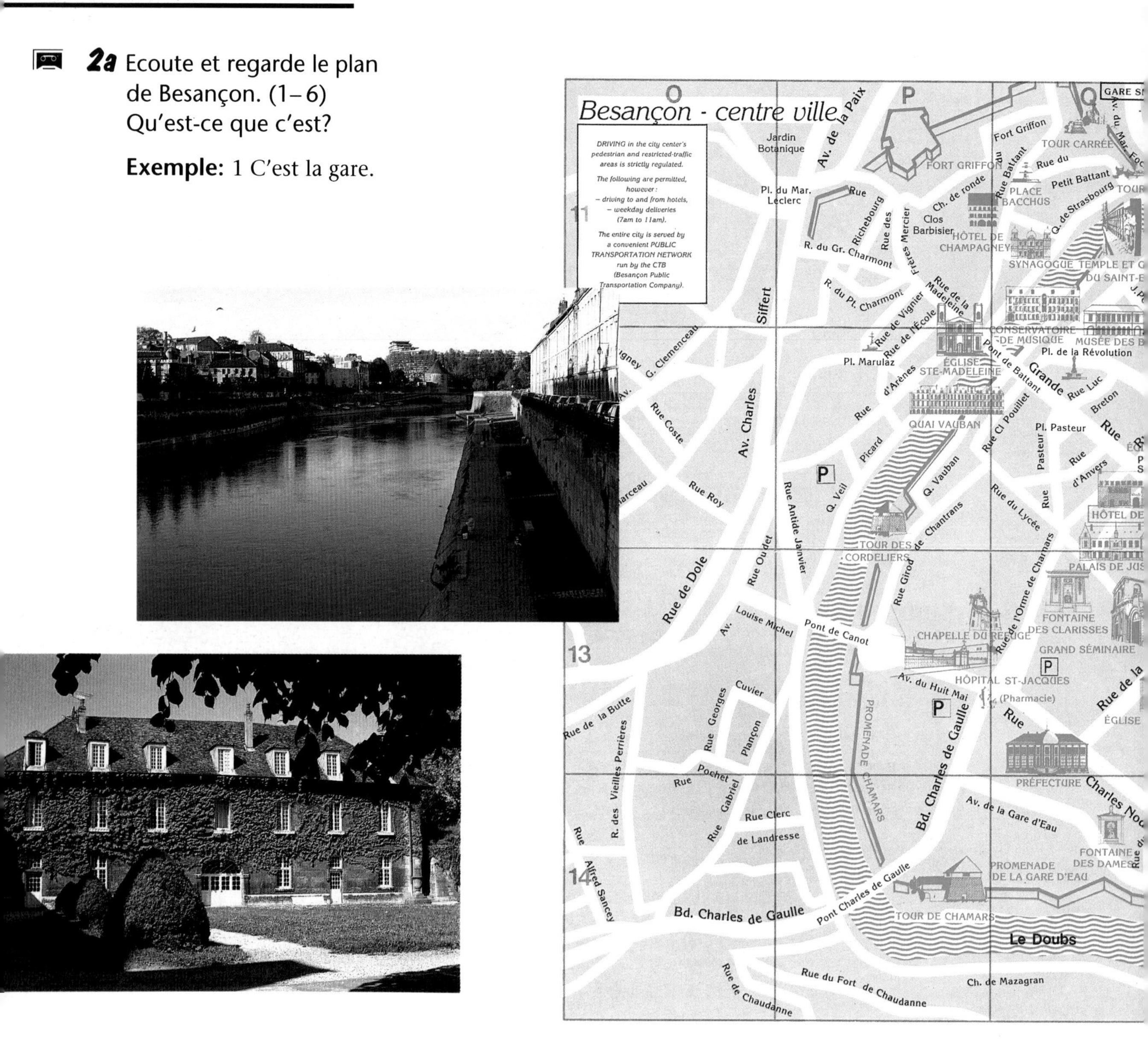

2b Tu fais un stage au syndicat d'initiative. Ecoute les visiteurs: Où veulent-ils aller? (1–10)

Exemple: 1 Il/Elle veut aller à la rivière.

2c Donne-leur les directions. Prépare et enregistre ce que tu vas dire.

Pour aller	au (à l') ... à la (à l') ... aux ...	vous	prenez la première rue à droite/à gauche allez tout droit passez devant la banque/la poste tournez à droite/à gauche aux feux suivez la route/les panneaux traversez le pont/la place
C'est tout près/assez loin			

3 Décris ta ville ou une ville près de chez toi.
Fais une brochure ou enregistre une présentation.

- C'est quelle sorte de ville? (historique/industrielle/moderne/touristique/un port/...)
- Elle se situe où? (sur la côte/dans les Alpes/sur la Seine/près de .../...)
- Qu'est-ce qu'on peut y voir? (la mairie/l'église/le monument/le château/...)
- Qu'est-ce qu'on peut y faire? (visiter le musée/aller au parc/monter à la tour/faire le tour de .../...)

Flash info

Verbe: mettre

présent:	je mets	nous mettons	*imparfait:*	je mettais
	tu mets	vous mettez	*passé composé:*	j'ai mis
	il/elle met	ils/elles mettent	*futur:*	je mettrai
			conditionnel:	je mettrais

H•O•R•R•E•U•R•S•C•O•P•E

BELIER
21.3–20.4

Fougeux/se et débordant(e) d'énergie, vous êtes aussi capable de méchanceté. Bien que chaleureux/se et charmant(e), votre patience est limitée et vous pouvez être narcissique. Vous êtes avide et égoïste mais ne comprenez rien aux questions d'argent. Dans votre travail, vous êtes arrogant(e) et travailler avec vous n'est pas chose facile. En amour vous êtes peu réaliste et plutôt superficiel(le).

TAUREAU
21.4–21.5

Fort(e) et opiniâtre, vous êtes aussi capable d'entêtements stupides. Vous savez toujours mieux que les autres, quels que soient leur âge ou leur expérience. Votre esprit s'amoindrit en vieillissant, mais pas votre tour de taille, car vous aimez vous faire plaisir à table! Votre avenir professionnel est incertain, mais la chance vous sourira. Fidèle en amour, vous êtes aussi jaloux/se et possessif/ve.

GEMEAUX
22.5–21.6

Vous connaissez bien vos bons côtés mais sous-estimez les mauvais. Grattez un peu la surface et vous trouverez sans doute un(e) fourbe émotif/ve, sarcastique et peu digne de confiance. Dans votre travail, vous savez vous adapter aux situations nouvelles mais vous manquez de logique. Vos traits d'esprit effilés comme des rasoirs auront raison des ennemis les plus coriaces.

CANCER
22.6–22.7

Lunatique, névrosé(e), rarement heureux/se, vous êtes à la merci de votre instabilité. Hypersensible, vous versez des larmes de crocodile pour manipuler les autres. Vous gémissez sans cesse et vous plaignez d'injustices vraies ou imaginaires. En amour, vous êtes collant(e) et vous avez toujours peur de vous faire mal. Au travail, il faut qu'on vous aime et qu'on s'occupe de vous si l'on veut obtenir quelque chose.

LION
23.7–23.8

Vos plus gros défauts sont la fierté et l'arrogance. Précipité(e), emporté(e), préoccupé(e) de vous-même, vous réclamez l'attention à tout moment. Il faut qu'on vous adore, qu'on vous idolâtre, sous peine de vous voir bouder comme un enfant. Vous aimez dépenser et vous jetez l'argent par les fenêtres. En amour, vous n'avez aucun jugement, et au travail vous êtes un(e) enquiquineur/se qui cherche à se faire bien voir, dans le meilleur des cas!

VIERGE
24.8–23.9

Quelle fouine vous faites, toujours à fouiller dans la vie des autres et à les critiquer. Pessimiste de nature, vous dénigrez toujours les idées d'autrui. Votre sens de l'humour n'est rien moins que méchant. Vos plaisirs favoris consistent à piquer, harceler et faire le fier. Avec l'argent vous êtes avare comme un Harpagon. En amour vous êtes de glace, et en société vous êtes le rabat-joie par excellence!

Balance
24.9–23.10
Vous ne savez pas sur quel pied danser. On peut être sûr de ne pas pouvoir compter sur vous, et le bon sens est pour vous quelque chose aux frontières très extensibles. Vos amis, vos proches désespèrent de vous! Vous traversez la vie grâce à votre charme et vous êtes si paresseux/se que le singe du même nom semble dynamique à côté de vous! En tant qu'ami(e) sur qui se reposer, vous êtes aussi confortable qu'un lit de béton. Vous êtes incapable d'affronter la réalité et quand ça va mal vous buvez et vous vous droguez. En amour vous êtes un parasite, et au travail un(e) casse-pieds.

Scorpion
24.10–22.11
Sous votre extérieur tout miel se cache un fameux guêpier, et gare à celui qui y mettra les doigts! Vous adorez contrôler les êtres et les choses, au travail, à la maison ou en société. En amour vous êtes calculateur/trice, jaloux/se et possessif/ve.

Sagittaire
23.11–21.12
Vous êtes tout en paroles. Irresponsable, immature, on ne peut s'en remettre à vous ni vous faire confiance. Qu'on vous confie un secret, il sera sur la place publique le jour même! Les amis entrent et sortent de votre vie sans que vous les remarquiez, tant vous êtes préoccupé(e) de vous-même. En amour, vous courez de l'un(e) à l'autre. Au travail, il n'y a pas moyen de vous contrôler.

Capricorne
22.12–20.1
Quel(le) encroûté(e) vous faites! Et que vous êtes triste! Toujours froid(e), et le visage fermé. En dépit de votre profond mépris pour tout ce qui concerne les autres, vous fourrez toujours votre nez où vous ne devriez pas. Quant à l'intérieur de votre portefeuille, il voit rarement le jour!

Verseau
21.1–19.2
Vous vous croyez cool alors que vous êtes un(e) casse-pieds et un fat. Votre envie de vous démarquer vous pousse à un certain exhibitionnisme. Votre peur de sembler faible vous oblige à jouer les fiers-à-bras. Vous n'avez pas de tact et multipliez les gaffes.

Poisson
20.2–20.3
Maniaque de nature, vous êtes aussi le plus fragile de tous les signes pour ce qui touche aux drogues douces, y compris le goût du jeu. Vous vivez dans un monde de rêves où tout est rose. Physiquement, vous n'êtes pas beau/belle à voir – débraillé(e), et parfois même sale. Au travail, vous manquez d'organisation. En amour, vous vous complaisez dans les faux-semblants et vous comportez en martyre.

C Les grandes surfaces et les petits magasins

1a Choisis les expressions qui décrivent le mieux *les grandes surfaces* et celles qui décrivent le mieux *les petits magasins*.

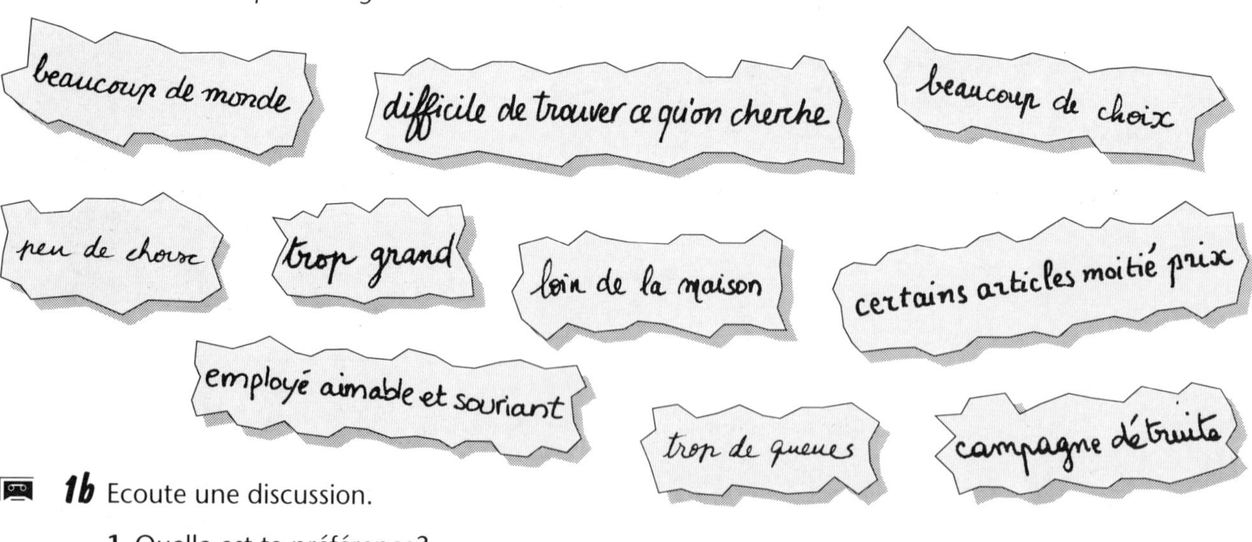

1b Ecoute une discussion.

1 Quelle est ta préférence?
2 Justifie ton opinion en trouvant des arguments dans la discussion.

Exemple: Je préfère les petits magasins parce qu'ils sont proches de chez moi.
Je préfère les grandes surfaces parce qu'il y a beaucoup de choix.

3 Peux-tu trouver d'autres raisons?

1c Ecoute une deuxième fois. Note les expressions utilisées dans la conversation pour continuer la discussion.

- C'est vrai.
- C'est dommage!
- Oui, peut-être, mais ...
- Je ne suis pas entièrement d'accord.
- Vous exagérez un peu!
- Pensez à ...
- Vous avez raison.
- N'oubliez pas que ...

2 Choisis exercice **a** ou exercice **b**.

a A trois: Personne A prend le rôle de quelqu'un qui est pour les petits magasins et contre les grandes surfaces. Personne B prend le rôle opposé. Personne C doit poser des questions:

Préparez votre discussion pour une émission de télé. Si vous avez un caméscope, utilisez-le!

b A deux: Partenaire A est le dernier client/la dernière cliente de Monsieur Bonneru, juste avant la fermeture de son magasin. Partenaire B est Monsieur Bonneru.

Est-ce qu'il reste beaucoup de provisions?
Est-ce que Monsieur Bonneru est triste ou de mauvaise humeur?
Ou peut-être qu'il est très content d'avoir fini de travailler?

Phrases-clés

Client(e):	Avez-vous ... ?
	Est-ce qu'il reste ... ?
	Je cherche ...
	Vous n'auriez pas ... ?
Monsieur B:	Il ne me reste que ...
	Je n'ai plus de ...
	Ça, c'est fini.

3a Lis: Pour ou contre la construction d'un hypermarché? Trouve les arguments dans chaque lettre.

BIENTOT: UN NOUVEAU CENTRE COMMERCIAL

Monsieur,
Je vous écris pour protester contre les projets pour la construction d'un grand hypermarché qui sera situé près de ma maison. Il existe déjà un centre commercial à moins de deux kilomètres. Il y aura trop de voitures et de camions sur les petites routes aux alentours, et le beau paysage sera complètement détruit. J'ai un message pour les constructeurs: «Laissez notre campagne en paix!»

Monsieur,
Je vous écris pour accueillir les projets pour le nouveau centre commercial dans notre ville. Nous, les consommateurs, nous serons les gagnants: nous aurons plus de choix, et sans doute des réductions de prix. Nous serons avantagés par les heures d'ouverture. En plus, ce projet créera du travail pour deux ou trois cents personnes. Félicitations à l'entreprise!

3b Ecris une lettre de protestation à un journal local, le lendemain de la fermeture du magasin Bonneru.

Tu peux commencer ainsi:

Je vous écris pour protester contre ...

D'autres expressions utiles:

Je voudrais me plaindre contre ...

C'est un grand inconvénient, parce que ...

Ce n'est pas comme autrefois ...

4a Regarde le contenu du chariot et du panier.
Qu'est-ce qu'il y a dans chacun?

4b Jeu d'imagination: travaillez en petits groupes, ou à deux.
Regardez le contenu du chariot.
Discutez et décidez: Qui achète ces articles?
Comment est cette personne?
Quel est son mode de vie?

- C'est quelqu'un qui habite seul, ou qui a une famille?
  Avec ou sans enfants?
  Avec ou sans animaux?
- C'est quelqu'un qui a beaucoup ou peu d'argent?
- C'est quelqu'un qui a beaucoup de temps pour faire la cuisine, ou pas?

Justifiez vos réponses.

4c Maintenant, regardez le contenu du panier.
En quoi est-ce que c'est différent? Pouvez-vous imaginer
la personne qui achète ces articles?

4d A deux: Chaque partenaire invente un personnage
qui fait des achats dans un grand magasin.

Compose une liste de 10 articles.
Donne-la à ton/ta partenaire.

Ton/Ta partenaire doit décider
du caractère de ton personnage
ou de son mode de vie.

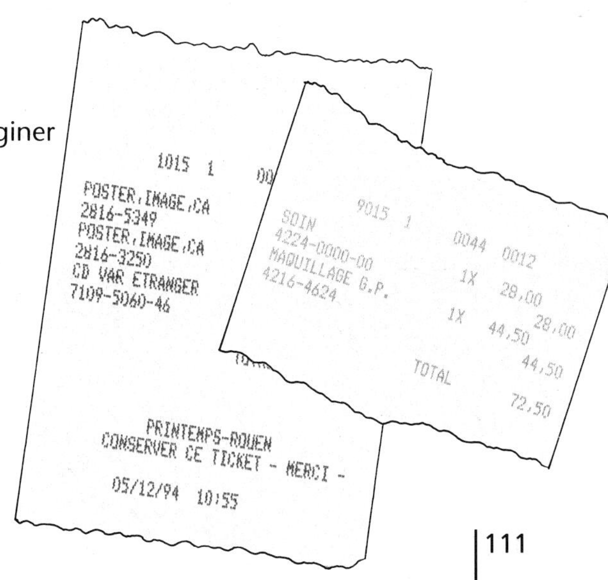
1015 1
POSTER, IMAGE, CA
2816-5349
POSTER, IMAGE, CA
2816-3250
CD VAR ETRANGER
7109-5060-46
PRINTEMPS-ROUEN
CONSERVER CE TICKET - MERCI -
05/12/94 10:55

9015 1 0044 0012
SOIN
4224-0000-00 1X 28,00 28,00
MAQUILLAGE G.P.
4216-4624 1X 44,50 44,50
TOTAL 72,50

8 Relaxez-vous!

A Vive le sport?

le saut à la corde ou à l'élastique

le surf ou le snowboard

le parapente

1a Sports d'été et sports d'hiver
Combien de sports de chaque sorte peux-tu nommer en trois minutes?
Fais des listes et commente tes listes avec un(e) partenaire.

J'ai peur des hauteurs.

Je n'aime pas l'eau froide!

Je suis allergique aux animaux.

1b A deux: Qu'est-ce que vous aimeriez faire?
Qu'est-ce que vous n'aimeriez pas faire et pourquoi?

Exemple: J'aimerais faire de la planche. Je n'aimerais pas faire de l'équitation, parce que je suis allergique aux animaux.

1c Ecoute: Qu'est-ce qu'ils aiment faire et qu'est-ce qu'ils n'aiment pas faire? (1–6)
Pourquoi? Note leurs réponses.

Exemple: 1 Il/Elle aime ... et n'aime pas ... parce que ...

1d Fais un sondage. Choisis une question et pose-la à douze personnes.
(Attention: tutoyer ou vouvoyer?)

Aimes-tu faire ...? Aimerais-tu faire ...? Qu'est-ce que tu préfères: ... ou ...?	Aimez-vous faire ...? Aimeriez-vous faire ...? Qu'est-ce que vous préférez: ... ou ...?

Fais un résumé.

Exemple: J'ai trouvé que ... personne(s) ...
Il y avait ... personne(s) sans opinion.

2a C'est quel sport?

C'est un sport de combat qui vient du Japon. On porte un pantalon blanc, une veste blanche et une ceinture de couleur. On apprend à se défendre. Je suis adhérent d'un club et je m'entraîne deux fois par semaine. Il y a des concours régionaux et nationaux.

2

On joue à deux équipes sur un terrain dehors. Il y a onze joueurs dans chaque équipe. Le but du jeu, c'est d'envoyer le ballon, avec le pied ou avec la tête, dans le but de l'équipe adverse. Je m'entraîne deux fois par semaine, et on joue contre une autre équipe le mercredi.

3

C'est un sport qui se joue à deux ou à quatre, avec des raquettes et une petite balle. On joue sur un terrain qui s'appelle un court. On porte un short blanc ou une jupe blanche et une chemise également blanche. Il y a un club au collège et je joue le mercredi et le samedi après-midi. En hiver, on joue dans une grande salle.

4

C'est une activité qu'on peut faire seul, ou bien on peut être adhérent d'un club. On a besoin d'une bicyclette de course. On porte un maillot et un short. Il faut beaucoup s'entraîner! Je fais partie d'un club et on sort le mercredi et le dimanche.

2b Choisis ton sport préféré. Prépare et enregistre une petite présentation.

<table>
<tr><td rowspan="2">C'est</td><td>un jeu qui se joue</td><td colspan="2">sur ...
avec ...
à deux/à quatre/à deux équipes</td></tr>
<tr><td colspan="3">un sport individuel</td></tr>
<tr><td colspan="2">Pour pratiquer ce sport,</td><td colspan="2">on a besoin de ...
on porte ...</td></tr>
<tr><td colspan="2">Le but du jeu c'est</td><td>de marquer plus de points/de buts
d'aller plus vite</td><td>que l'adversaire</td></tr>
<tr><td colspan="4">Mon joueur préféré c'est ...</td></tr>
</table>

3a Nicolas n'est pas sportif. Que fait-il le mercredi?

3b Qu'est-ce qu'il a fait mercredi dernier? Attention au passé composé!

Présent:		*Passé composé:*				
Le mercredi, il	boit	Mercredi dernier, il a	bu			
	dort		dormi			
	écoute		écouté			
	fait		fait			
	joue		joué			
	lit		lu			
	mange		mangé			
	regarde		regardé			
	travaille		travaillé			
il	reste	il est	resté	elle	est	restée
	sort		sorti			sortie
	va		allé			allée
	se lève	s'est	levé		s'est	levée
	se couche	s'est	couché		s'est	couchée

3c Prépare et enregistre deux présentations.

1 Que fais-tu pendant ton temps libre?
2 Qu'as-tu fait hier soir/le week-end dernier?

4a A deux: Travaillez ce dialogue au téléphone.

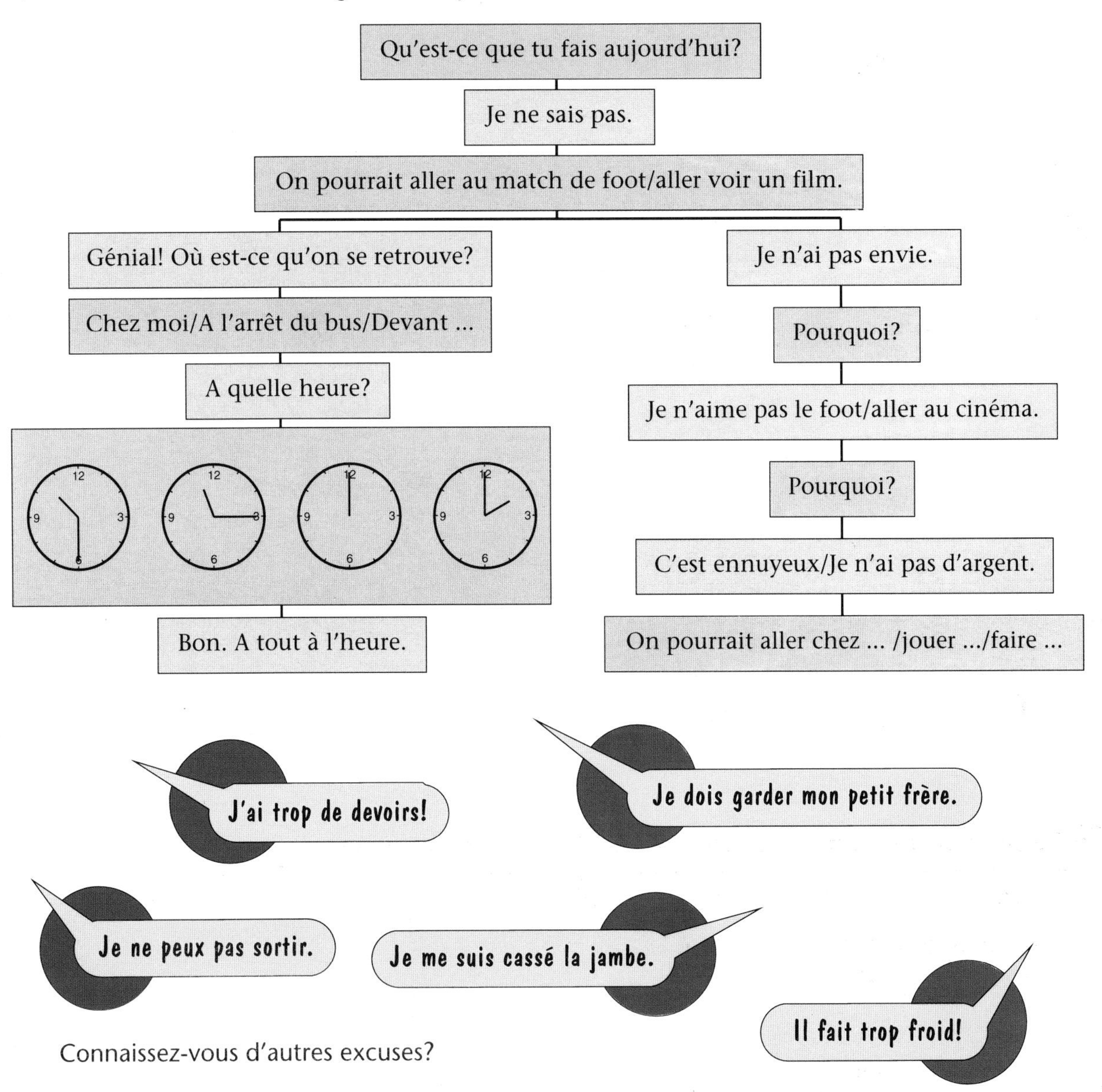

Connaissez-vous d'autres excuses?

4b A deux: Inventez un dialogue et enregistrez-le.

5 Tu as gagné un prix: tu peux faire ce que tu veux pendant une semaine ...
Qu'est-ce que tu voudrais faire?

J'irais aux Antilles/... Je ferais ... J'achèterais ... Je ne ferais rien	
J'apprendrais à faire	de la planche de la plongée sous-marine du surf

Flash info

Verbe: voir

présent:	je vois tu vois il/elle voit nous voyons vous voyez ils/elles voient	*imparfait:* *passé composé:* *futur:* *conditionnel:*	je voyais j'ai vu je verrai je verrais

Le corps

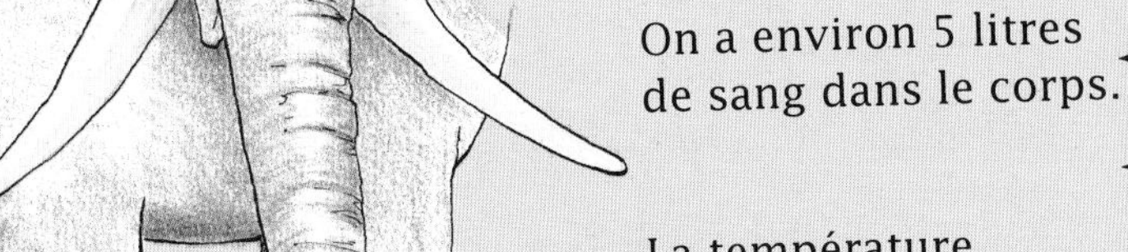

Le coeur bat environ 70 fois par minute, c'est-à-dire, 100 000 fois par jour!

On a environ 5 litres de sang dans le corps.

La température normale du corps est de 37,4°C.

Le coeur d'un éléphant bat 18 fois par minute, celui d'un chien 100 fois et celui d'un chat 180 fois.

On a plus de 50 muscles. Pour sourire, on en utilise 17.

Le squelette compte 206 os dont le plus petit est situé dans l'oreille moyenne.

La nuit, on est moins grand d'environ 6 centimètres que le matin.

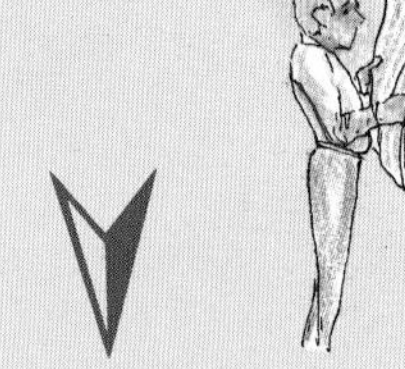

C'est la moitié droite du cerveau qui commande le côté gauche du corps, et la moitié gauche du cerveau qui commande le côté droit du corps.

Si on avait les yeux d'un aigle, on pourrait lire les titres d'un journal à une distance de 500 mètres.

Le saviez-vous?

Ça sent bon! On goûte avec le nez. La langue distingue seulement si ce qu'on mange est salé, sucré, acide ou amer. Toutes les autres sensations de goût sont transmises par le nez.

Magazine 8

Les organisations bénévoles internationales

L'ONU dont le siège est à New York a 158 pays membres qui ont adopté la Déclaration universelle des droits de l'homme en 1948. La déclaration comporte 30 articles dont voici les deux premiers:

> **Art. 1.** – Tous les humains naissent libres et égaux en dignité et en droits. Ils sont doués de raison et de conscience ...
>
> **Art. 2.** – Chacun peut se prévaloir de tous les droits ... sans distinction aucune, notamment de race, de couleur, de sexe, de langue, de religion, d'opinion politique ou de toute autre opinion, d'origine nationale ou sociale, de fortune, de naissance ou de toute autre situation ...

le siège = *seat (where it is based)*
les droits de l'homme = *the rights of Man*
comporte = *consists of*
dont = *of which*
naissent (naître) = *are born*
libre(s) = *free*
égal/égaux = *equal*
doué(s) de = *endowed with*
la raison = *reason*

DEVENIR VOLONTAIRE
CROIX-ROUGE FRANÇAISE

La Croix-Rouge, créée en 1863 par le Suisse Henri Dunant, a pour mission de secourir les blessés de guerre et apporte aussi son aide aux handicapés et aux réfugiés.

secourir = *to help/bring succour to*
blessé(s) = *wounded*
les réfugiés = *refugees*

L'Unesco, Organisation des Nations unies pour l'éducation, la science et la culture, a son siège à Paris. C'est une institution de l'ONU chargée de contribuer à maintenir la paix par la collaboration entre les nations.

maintenir = *to maintain/keep*
la paix = *peace*
entre = *between*

MEDECINS SANS FRONTIERES

Médecins sans frontières est une association d'origine française qui apporte l'assistance médicale dans les régions où il y a une guerre ou une catastrophe.

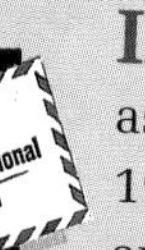

Amnesty International, association créée en 1961 par un avocat anglais, apporte aide et assistance aux victimes emprisonnées pour leurs idées, leurs croyances ou leur origine.

un avocat = *a lawyer*
apporter = *to bring*
la croyance = *belief*

Greenpeace est un mouvement international qui regroupe des gens qui veulent protéger la planète et l'environnement.

Fête foraine

Samedi 14 juin

Marché médiéval

Place du marché et sur les quais

Programme

8 H: Ouverture du marché des fruits et légumes

9 H: Grande ouverture du Marché médiéval par le maire

10 H: Tentative de record: La plus grande crêpe du monde

11 H: Concours de déguisement pour les moins de 10 ans

14 H: Descente des bateaux fleuris

16 H: Course de canards en plastique pour les petits

17 H: Tentative de record: Traversée du fleuve en baignoire

18 H: Concours de pêche

20 H: Résultats du concours de déguisement pour les 11 à 16 ans

21 H: Grand bal costumé sur les quais

23 H: Symphonie sur l'eau

23.30 H: Feux d'artifice

A Où vont-ils?

B Jeu d'imagination: Choisis un exercice.

1 Tu as le droit d'inaugurer un jour férié! Quel jour choisirais-tu? Qu'est-ce qu'on va célébrer et comment?

2 Décris une fête traditionnelle de ta région (ou invente une fête 'traditionnelle'). Rédige le programme.

Exemple: Chez nous, il y a une fête pour célébrer ... C'est le ... (date). La fête a lieu sur la place du Marché. On fait ...

Grand concours de ...

Tentative de record: ...

une Trousse de Premiers Secours

La vie est pleine de petits accidents ou de petites maladies. Pas toujours besoin d'appeler le docteur si on a le moyen de les traiter soi-même. Une trousse de premiers secours, par exemple, peut être très utile.

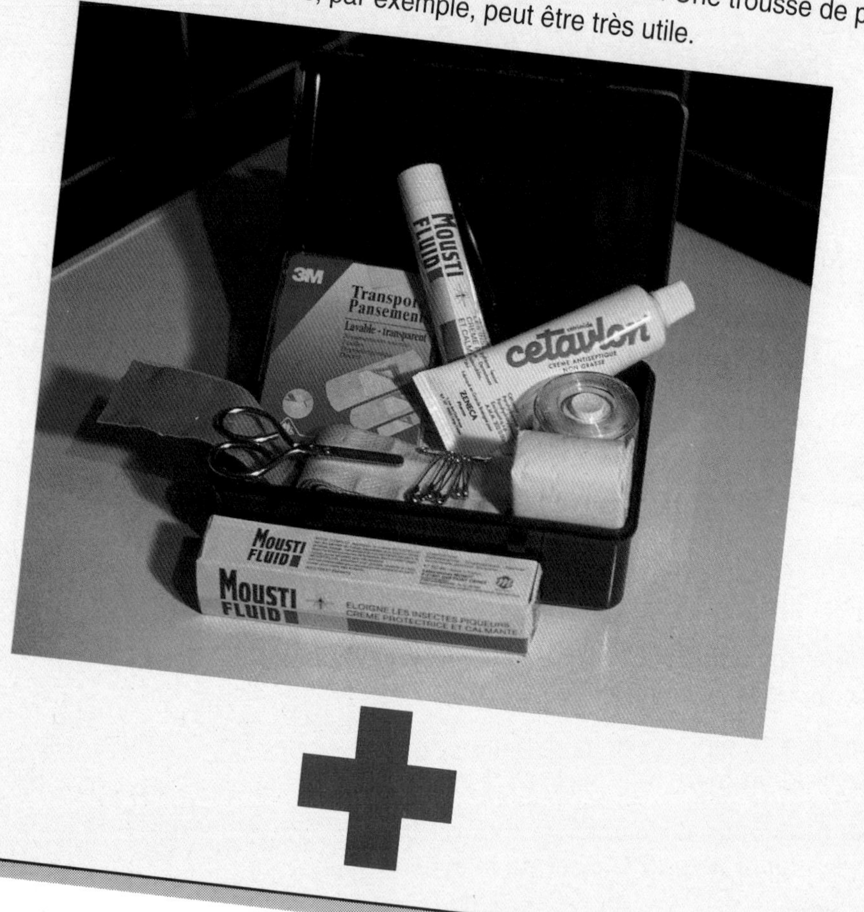

1a Il y a une trousse ou un placard de premiers secours chez vous? Si oui, où est-elle? Qu'est-ce qu'il y a dedans?

1b A deux: Pensez à une occasion où vous l'avez utilisée. Racontez-la à un(e) partenaire.

Exemple: Hier soir, je me suis brûlé en faisant la cuisine. J'ai eu une grosse ampoule sur le doigt. Ça m'a fait mal. J'ai mis de la crème antiseptique.

Flash info

J'ai/Je me suis ... **en faisant/en jouant** ...

2a Ecoute: Trouve le dessin qui correspond.

2b A deux: A tour de rôle, donnez des conseils à chaque personne, en disant 'Il faut ...'

Exemple: 1 Il faut mettre du sparadrap/Il faut vous laver le doigt d'abord, puis mettre un pansement.

2c Partagez-vous en quatre groupes. Chaque groupe choisit une catégorie:

situations DANS LA MAISON ou DANS LE JARDIN

situations EN VILLE et DANS LA RUE

situations A LA CAMPAGNE et A LA MER

situations A L'ECOLE et AU TRAVAIL

Chaque groupe doit faire une liste des situations dans lesquelles une trousse (ou un placard) de premiers secours serait utile. Un membre du groupe doit écrire.

Exemple: Quand on a mal à la gorge
Si on se coupe ...
Quand on tombe

Discutez pendant trois minutes. Ensuite, un membre du groupe présente la liste à la classe.

3a Connais-tu un remède contre un mal quelconque? Un remède homéopathique, peut-être? Ou peut-être un conseil pour éviter une maladie? Explique ton conseil par écrit (avec illustration, si tu veux).

3b Lis ton conseil au groupe, ou à toute la classe. Ensuite, vous pourriez tous rassembler vos conseils dans un petit livret. Vous pourriez utiliser l'ordinateur et le photocopieur.

3c Ecoute: Six jeunes racontent comment ils maintiennent la forme. Note (en anglais ou en français) ce que chacun(e) fait.

3d Maintenant, oralement ou par écrit, explique ce que tu as fait, pendant le mois dernier, pour te tenir en bonne forme physique.

4 Si tu pars en vacances – surtout à l'étranger – prends des précautions avant ton départ. Lis les conseils et fais un résumé en anglais pour ta famille.

AVANT DE PARTIR EN VACANCES

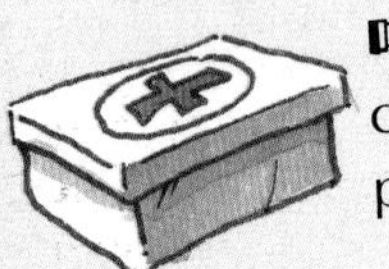

☞ Mettez dans votre valise une petite trousse de premiers secours, contenant des pansements, de la crème anti-moustique et des tablettes pour stériliser l'eau.

☞ Vérifiez que l'eau est sûre, même pour quand vous vous lavez les dents et quand vous vous rincez la bouche. L'eau bouillie sert de précaution. Autrement, stérilisez l'eau avec des tablettes spéciales. Faites bouillir le lait non-pasteurisé.

☞ Attention à ces aliments: légumes et fruits crus; salades; crème, glaces et glaçons; viande rouge; fruits de mer et crustacés. Les plats réchauffés peuvent être contaminés.

☞ Lavez-vous les mains après être allé(e) aux toilettes, avant de préparer la nourriture et avant de manger, surtout si vous êtes en camping.

☞ Les maladies d'origine sexuelle (y compris le SIDA) menacent la santé de la population du monde. Les préservatifs servent de protection – mais attention, car leur qualité est souvent inférieure dans les pays étrangers. Achetez donc vos préservatifs avant de partir.

☞ Mettez de la crème anti-moustique pour vous protéger contre les insectes qui piquent. Couvrez-vous les jambes et les bras quand vous vous promenez, surtout dans les bois et les forêts; attention aux animaux, car ils ne sont pas toujours gentils!

☞ Ne vous faites pas percer les oreilles et la peau, sauf si vous savez que les aiguilles ont été stérilisées.

NE VOUS LAISSEZ PAS REFRRRRRROIDIR

Février, froidure, frissons ...
Affrontez les frimas sans frémir

Couvert comme un oignon

Les oignons sont malins. Quand ils flairent les grands froids, ils multiplient les pelures. Suivez leur conseil futé : superposez. Plusieurs couches de vêtements offrent une meilleure isolation. C'est le principe des couettes et doudounes. Pris en sandwich entre diverses tranches de plumes, l'air circule mieux, ajoutant son propre matelas de tiédeur confortable.

Autre avantage des superpositions : on peut toujours s' "éplucher" dans les lieux bien chauffés.

Couvrez bien la gorge et la nuque avec votre écharpe.

Cajolez vos extrémités : si vos pieds sont glacés, vous allez vite claquer des dents, et le rhume vous pend au nez ! Là encore, par grand froid, superposez gants et chaussettes.

Evitez les vêtements étriqués, et tout ce qui gêne la circulation sanguine. Car les vaisseaux sanguins sont des convecteurs qui irradient la tiédeur partout.

Mangez chaleureux

Le corps brûle davantage de calories pour se défendre contre le froid. Vous pouvez donc manger un peu plus, mais sans vous goinfrer. La viande, les produits laitiers, les sardines, les épinards, ça fait du bien là où le froid fait mal. La bonne habitude à prendre : le petit déjeuner tout confort.

Un bon grand verre de jus de fruits frais (oranges, pamplemousses, clémentines, c'est la saison et c'est plein de vitamine C qui défend l'organisme contre virus et bactéries).

Un bon gros chocolat avec des tartines beurrées (excellent, le beurre, pour résister au froid). Confiture ou miel tendre pour la gorge.

Glissez parmi vos cahiers des fruits secs et du fromage pour manger à la récré.

Quand le froid est vif et sec, ne restez pas au lit!

Une bonne marche, bien couvert, stimule l'organisme. L'exercice physique, le grand air, les batailles de boules de neige vous aident à chasser les petites déprimes et grosses fatigues de l'hiver.

Cobbent soigner un rhube !

Le seul vrai remède au rhume étant la patience, voici, précisément, comment prendre votre mal en patience. Lavez souvent votre nez avec du sérum physiologique. Mouchez-vous avec des mouchoirs à jeter aussitôt (pourquoi garder précieusement vos microbes?). Ne surchauffez pas votre chambre, aérez-la. Placez un récipient rempli d'eau sur le radiateur pour humidifier l'atmosphère.

Une bonne petite inhalation le soir pour dégager le nez, un lait chaud au miel, deux oreillers – exceptionnellement – pour faciliter la respiration.

Abris de plein air

Si vous avez la chance de partir à la montagne, attention les yeux ! Réverbérés par la neige, les ultra-violets deviennent impitoyables. Skiez et marchez avec bonheur, bien abrité derrière de bonnes lunettes, une bonne crème solaire, un bon stick protecteur sur les lèvres. Eh oui, tout ça!

Suivez les sages conseils de nos grands-mères. Pour vous réconforter après un trajet glacé, buvez vite un grand verre de lait chaud ou un citron pressé chaud, sucré au miel.

5a Lis le texte et résume – pour une copine ou un copain qui ne parle pas français – les principaux thèmes en répondant aux questions suivantes:

1 What can we learn from the onion about keeping warm?
2 What two pieces of advice concerning clothes are given?
3 Why can you allow yourself a bit more food in the winter?
4 Devise a 'healthy winter breakfast', based on the advice in the article.
5 What advice is given about how to get rid of winter tiredness?
6 Give three pieces of advice for those suffering from a winter cold.
7 What special tips are given to skiers?

5b Choisis dans le texte un conseil que tu trouves particulièrement utile. Invente un poster ou un dessin humoristique pour l'illustrer.

9 Médiathèque

A La télé et les films

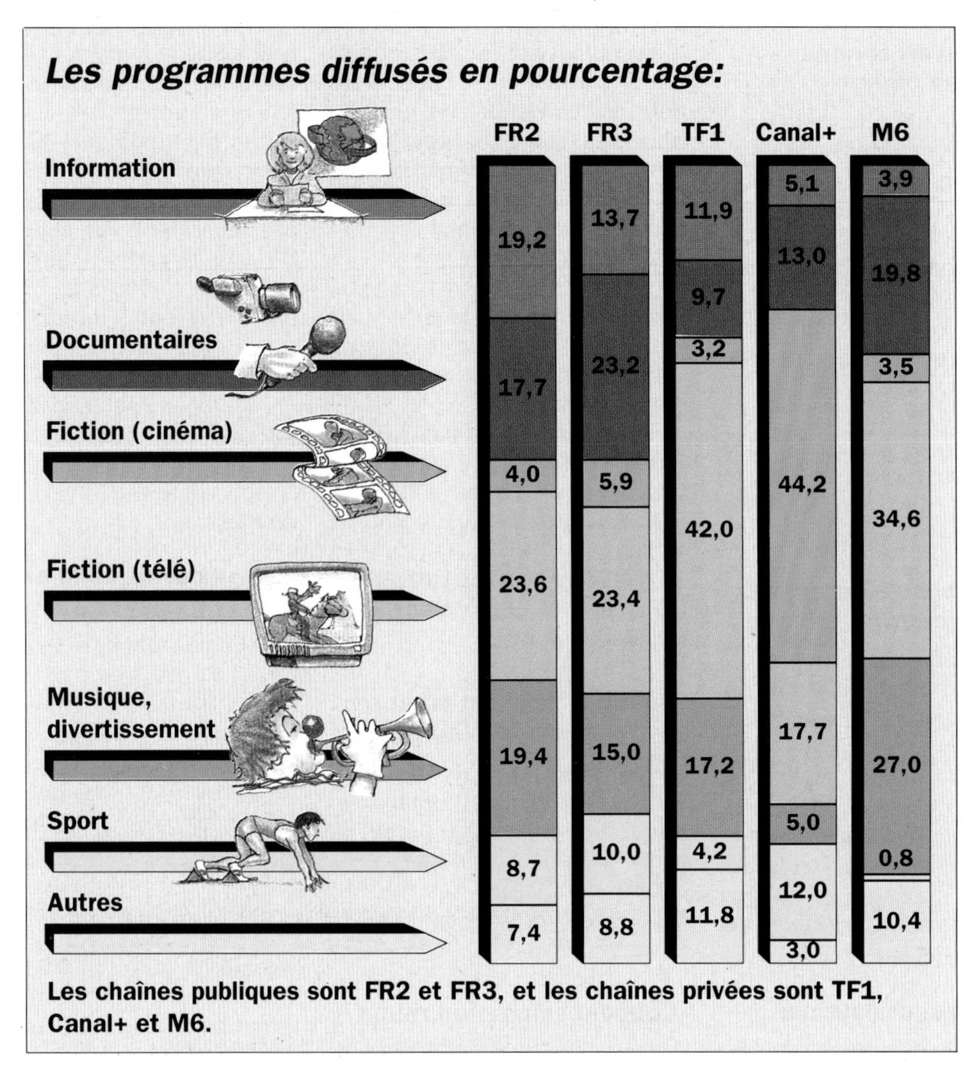

Les chaînes publiques sont FR2 et FR3, et les chaînes privées sont TF1, Canal+ et M6.

1a Ecoute: Quels genres d'émission préfèrent-ils? (1–6)
Quelle chaîne regardent-ils le plus?

Exemple: 1 Il/Elle préfère ... . Il/Elle regarde ... le plus.

1b Ecris et enregistre des conseils.

<table>
<tr><td>Tu aimes
Tu te passionnes pour
Tu préfères</td><td rowspan="2">les actualités
le sport (?)
la musique
les feuilletons
...</td><td>Il faut regarder
Pour toi c'est</td><td rowspan="2">la chaîne ...</td></tr>
<tr><td>Pour ceux qui aiment
Pour ceux qui préfèrent</td><td>c'est
on conseille</td></tr>
<tr><td colspan="4">C'est la chaîne ... qui consacre la majeure partie de ses programmes au/à la/aux ...</td></tr>
</table>

1c Quels genres d'émission préfères-tu? Fais une liste.

2a Explique à un(e) ami(e) français(e): c'est quel genre d'émission? Prépare ce que tu vas lui dire.

Exemple: 'Grandstand', c'est une émission de sport.

les actualités
un dessin animé
un documentaire
une émission de musique
une émission de sport
un feuilleton
un film
une série policière (un polar)

Grandstand
NEWS AT TEN
Nature watch
Panorama
Raiders of the Lost Ark
The Flintstones
Top of the Pops
The Bill
EastEnders

2b En connais-tu d'autres? Trouve une autre émission dans chaque catégorie. Comment les trouves-tu?

Exemple: 'Neighbours' est un feuilleton australien. C'est ...

C'est super/génial/rigolo/amusant/intéressant/pas mal/nul/ennuyeux
Ça dépend ...

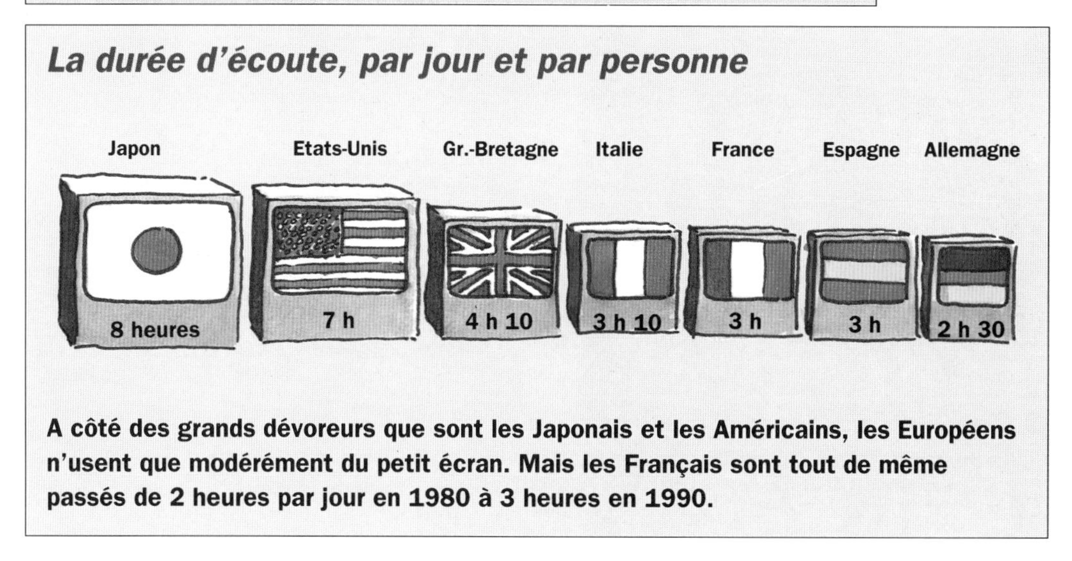

3a Ecoute: Les résultats de notre sondage. Combien d'heures passons-nous devant le petit écran **a** le samedi et **b** le soir pendant la semaine?

Calcule la moyenne.

3b Fais un sondage dans la classe. Combien d'heures passez-vous devant le petit écran **a** le samedi et **b** le soir pendant la semaine?

Calcule la moyenne.

Compare tes résultats avec ceux de la classe française.

Exemple: En France le samedi/le soir, on passe plus/moins d'heures devan
le petit écran que chez nous.

4a C'est quel film?

L'ours

1 Un jeune homme tombe amoureux d'une étudiante qui est très malade.
2 Un petit ours qui a perdu sa mère rencontre un grizzli solitaire.
3 Il s'agit de deux voyageurs du temps à Los Angeles.
4 C'est basé sur une histoire des 'Mille et Une Nuits'.
5 Un shérif défend sa ville contre trois bandits dangereux.
6 Il s'agit du record de la plongée sous-marine et des dauphins.
7 Il s'agit de deux détectives à Miami.
8 Mystères sanglants autour d'une secte de fanatiques.
9 C'est l'histoire d'un homme qui est toujours garçon d'honneur mais jamais le marié.

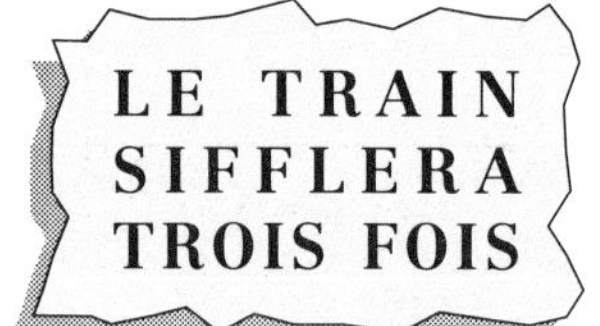

4b Classe les films ci-dessus par catégorie.

policier	dessin animé	western	horreur	animaux
comédie	aventures	mélodrame	science-fiction	

4c Fais la liste de huit films que tu connais et classe-les par catégorie.

4d Trouve un film qui correspond à chaque expression.

Exemple: 'Dracula' est un film qui vous coupe le souffle.

a très drôle
b d'aventures
c d'horreur
qui vous coupe le souffle
érieux, qui donne à réfléchir
ès bien réussi
g de grand spectacle
h un mélo (mélodrame)
i un navet

un mélo = *a weepie*
un navet = *a turnip (i.e. third-rate)*

UN POLAR CLASSIQUE

DANS LA CHALEUR DE LA NUIT ★★★★

(USA 1967)

Réalisateur: Norman Jewison

L'histoire: Il s'agit d'un meurtre. Un homme est tué dans l'état du Mississippi. Le shérif local et un policier fédéral mènent l'enquête. Le shérif est blanc et le policier est noir: un face à face mémorable entre Rod Steiger et Sidney Poitier.

5a Vrai ou faux?

1 C'est une comédie française.
2 C'est un polar américain.
3 Il s'agit de deux policiers qui recherchent un assassin.
4 La musique est de Rod Stewart.
5 Les policiers jouent aux échecs.
6 Le film a été réalisé par Steven Spielberg.

5b Raconte ou invente l'histoire d'un film!

Exemple: C'est un (polar/film d'horreur/...)
Le film a lieu (aux Etats-Unis/en France/à Liverpool/dans l'espace)
Il s'agit (d'un homme/d'une femme/d'un enfant qu'on a laissé à la maison)
Il/Elle (est/a/aime/veut/n'a pas de ...)
Il/Elle a (tué/assassiné/trouvé/inventé/volé/vu ...)
Il/Elle est (allé(e)/tombé(e) amoureux/se de/rentré(e) ...)
... interprète très bien le rôle de ...
Les effets spéciaux sont (très réussis/affreux)

5c A deux: Quels genres de film aimez-vous? Pourquoi?

J'aime	les ...	parce qu'	ils me font rire/me détendent	
	les films de ...		il/elle est	bon metteur en scène bon(ne) comédien(ne)

5d A deux: Recommandez un film à votre partenaire.

Exemple: Il faut aller voir ... . C'est un ... . Il s'agit de ...
Le film est interprété par ... . Il/Elle est super/fantastique.
C'est vraiment génial/extra/magnifique. La musique est ...
La photo est très belle. Les effets spéciaux sont très bien réussis.

Flash info

Verbe: savoir

présent:	je sais	nous savons	*imparfait:*	je savais
	tu sais	vous savez	*passé composé:*	j'ai su
	il/elle sait	ils/elles savent	*futur:*	je saurai
			conditionnel:	je saurais

Dictionnaire interdit!

Mission impossible

Un pays hostile envoie un satellite bourré de charge nucléaire en orbite et s'en sert pour faire pression sur la communauté internationale. Un astronaute est envoyé en mission. Il doit neutraliser les commandes électroniques de l'engin, mais sa progression est arrêtée ...

Bugsy

Bugsy se rend à Los Angeles pour y établir une succursale de l'empire new-yorkais et découvre le monde magique d'Hollywood. Il s'éprend d'une actrice, abandonne sa famille, abat un vieil ami trop bavard et, après un séjour en prison, se lance dans l'oeuvre de sa vie, l'édification d'un casino en plein désert, Las Vegas ...

Terreur à l'hôpital

Une interne, Kris Lipton, est persuadée qu'il se passe des choses étranges. Elle commence à mener une petite enquête. La disparition de dossiers lui confirme ses doutes. Elle décide de poursuivre ses recherches en dépit de ses collègues. Elle fait bientôt connaissance d'une jeune malade atteinte de vieillissement précoce ...

Max et Jérémie

Max et Jérémie sont deux tueurs à gages. Max, le plus âgé, se prépare à une retraite bien méritée. Depuis quarante ans que l'inspecteur Almeida cherche à le mettre sous les verrous, une sorte d'affection s'est établie entre les deux hommes. Le second, Jérémie, est un jeune chien fou prêt à tout pour quitter son HLM.

A Trouve les mots français:

acquaintance	*establish*
afflicted	*kills*
community	*laden*
construction	*orbit*
continue	*retirement*
desert	*sends*
disappearance	*subsidiary*
discovers	*talkative*

et les expressions françaises:

be taken with	*premature ageing*
carry out an investigation	*professional killers*
for forty years	*put pressure on*
get out of his council flat	*ready for anything*
life's work	*strange things are happening*
lock up	*throw oneself into*
	young mad dog

B Jeu de mots: Choisis la bonne définition.

1 une blague
A quelqu'un qui parle à la police
B quelque chose qui est rigolo et fait rire
C une couleur entre beige et blanc

2 une bagnole
A mot d'argot pour une voiture de famille
B un grand lavabo dans la salle de bains
C une petite piscine privée, par exemple, dans le jardin d'une villa

mot d'argot = *slang*

3 une cacahuète
A une noix qu'on mange salée
B le fruit d'un palmier
C une soupe aux poissons

4 les crudités
A des gros mots
B un travail qui n'est pas fini
C les légumes crus

5 un flic
A un film au cinéma
B mot d'argot pour un agent de police
C une sorte de couteau

6 un hors-d'oeuvre
A quelqu'un qui est au chômage
B quelqu'un qui s'occupe des chevaux
C un petit plat qu'on mange au début d'un repas.

7 le fric
A mot d'argot pour un agent de police
B mot d'argot pour de l'argent
C un mélange de riz, de poulet et de légumes

8 les fringues
A les cheveux sur le front
B un mot populaire pour les vêtements
C de petits gâteaux aux meringues

9 une HLM
A une voiture à Haute vitesse avec Légères Modifications
B un immeuble, Habitation à Loyer Modéré
C un tissu de Haute résistance qu'on peut Laver dans une Machine

10 une huître
A un mollusque qu'on mange
B un petit morceau (un huitième)
C quelqu'un qui a quatre-vingts ans

11 le mec
A le Ministre de l'éducation et de la culture
B un mot un peu vulgaire pour un homme
C abréviation de 'mécanicien'

12 un polar
A un ours qui habite en arctique
B un long bâton pour faire avancer un kayak
C un film policier

C Choisis un des mots suivants. Trouve la bonne définition et prépare deux autres définitions fausses.

un pithiviers	une façade	un melon	un motard	un coffre-fort
une falaise	un riverain	une farandole	une jardinière	

B Fabrique un journal ou un magazine

SOMMAIRE

N° 365
DÉCEMBRE 2–15

1a Les informations: Choisis le bon titre pour chaque image.

A

B

C

1 LES AGRICULTEURS FRANÇAIS EN COLÈRE

2 GRAVE SÉISME AU JAPON ... DE NOMBREUX DÉGÂTS

3 Inondations importantes en Inde, des centaines de victimes

4 POLLUTION DANS LA MANCHE: Un pétrolier fait naufrage

5 ACCIDENT D'AUTOBUS EN PROVENCE
CINQ MORTS, NEUF PERSONNES HOSPITALISÉES

6 Chômage en hausse!
Suppression de 25 postes à l'usine

7 DÉBUT DU TOUR DE FRANCE
53 COUREURS SONT PARTIS POUR LA PREMIÈRE ÉTAPE DU TOUR

8 Marseille face à St-Etienne

D

E

F

G

H

1b Ecoute: C'est quel événement?

1c La météo: Trouve les bons symboles.

1	soleil	6	brouillard
2	pluie	7	éclaircies
3	neige	8	orages
4	gelée	9	chaud
5	vent	10	froid

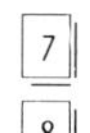

2 Tu vas fabriquer un magazine! Tu vas écrire un article pour chaque catégorie:

1 **a** Les informations: Découpe une photo ou fais un dessin et écris un titre.
ou **b** Copie une carte et écris une météo.

2 Un article de fond sur **a** la mode **b** la cuisine **c** l'ordinateur **d** la beauté **e** le sport **f** la musique **g** le cinéma

3 Une rubrique: **a** une fiche d'identité **b** la pêche **c** le shopping **d** un horoscope (voir page 137)

4 **a** petites annonces **b** jeux de mots **c** blagues **d** jeu-test **e** poème

5 Un rapport: **a** un accident **b** un crime **c** une épreuve de sport **d** une interview

2a Les accidents: Que s'est-il passé? Ecris un texte pour décrire chaque image.

Exemple: Le garçon s'est précipité dans la rue et a été renversé par une voiture.

Phrases-clés

La voiture allait trop vite/a brûlé le feu rouge/a dérapé/a heurté un arbre
Le garçon sur le vélo a commencé à tourner sans regarder
Le camion ne pouvait pas s'arrêter et a heurté la vitrine du magasin/une mobylette

2b Un accident: Ecris un rapport pour la police.

Exemple: La voiture rouge ...

2c Fais un horoscope.

bélier taureau gémeaux cancer lion vierge balance scorpion sagittaire capricorne verseau poissons

Vous aurez beaucoup d'énergie/de projets/d'amis/de succès

Vous serez de bonne humeur/bien dans votre peau/en pleine forme

Vous recevrez de l'argent/une lettre importante/une invitation/un cadeau

Ce sera une période tranquille/stressée/dynamique/passionnée

Vous serez indécis(e)/rêveux/se/réaliste/énigmatique/indépendant(e)/
timide/confiant(e)/sentimental(e)/plein(e) de charme/romantique

Profitez de cette période pour découvrir/changer/rencontrer/essayer de ...

Flash info

Verbe: connaître

présent:	je connais	*imparfait:*	je connaissais
	tu connais	*passé composé:*	j'ai connu
	il/elle connaît	*futur:*	je connaîtrai
	nous connaissons	*conditionnel:*	je connaîtrais
	vous connaissez		
	ils/elles connaissent		

C'est pas encore fini, ce silence?

Je bouquine 9

ÉCOUTE, SOPHIE. NOUS NE VOULONS SURTOUT PAS T'INFLUENCER OU TE FAIRE DES RÉPRIMANDES, TU ES LIBRE ET TU FAIS EXACTEMENT CE QUE TU VEUX, ET D'AILLEURS ON N'A PAS LE DROIT DE T'INTERDIRE QUOI QUE CE SOIT...

...SEULEMENT, CES SOIRÉES QUE TU PASSES CHEZ TES COPAINS DEVANT LA TÉLÉ TE SONT NÉFASTES, IL FAUT QUE TU T'EN RENDES COMPTE... LA TÉLÉ EST UN POISON ALIÉNANT...

MAIS ÉCOUTE, PAPA,...
SOPHIE! COMBIEN DE FOIS FAUDRA-T-IL TE DIRE DE CESSER AVEC CES "PAPA-MAMAN"? APPELLE-NOUS SIMPLEMENT JEAN-ALAIN ET LAETITIA... BRISONS CES BARRIÈRES HIÉRARCHIQUES, JE VEUX DIRE DIALOGUONS D'ÉGAL À ÉGAL PARCE QUE BON...

TU VOIS, SOPHIE, ON EST DES GENS PRIVILÉGIÉS ET ON ESSAYE DE NE PAS TOMBER DANS CES PIÈGES, IL NE FAUT PAS SE LAISSER DUPER...

LE VRAI BONHEUR C'EST ÊTRE ICI, À UNE TABLE, AVEC UNE TISANE, AVOIR UN CONTACT, UN DIALOGUE EN FAMILLE..
EN FAMILLE, EN FAMILLE... ON S'EFFORCE DE ROMPRE LE SCHÉMA CLASSIQUE DE PRESSIONS, PARCE QUE BON..

Y'A DES TRUCS MARRANTS À LA TÉLÉ...

DES TRUCS MARRANTS? JAMAIS!.. DES TRUCS DÉBILITANTS, ABRUTISSANTS. PRENDS AU HASARD

GLB...
?

BONSOIR... NOUS NOUS SOMMES DIT QUE VOUS REGARDIEZ CERTAINEMENT LE DÉBAT DE CE SOIR : "L'INFLUENCE DU NUCLÉAIRE SUR LA MACROBIOTIQUE" ...

C La révolution informatique

Construire son ordinateur

C'était un grand challenge pour un groupe de jeunes, élèves du collège Léo-Delibes à Fresnay-sur-Sarthe.

Fresnay-sur-Sarthe

LE MANS

Loire

Réunis au sein d'un club informatique, quatorze élèves de troisième, avec leur professeur Jean-Paul Jolivet, ont réalisé l'assemblage d'un ordinateur performant «avec des éléments sélectionnés et choisis dans le haut de gamme».

Ce passage de la théorie à la pratique a enthousiasmé toute l'équipe. De l'idée à la mise à disposition, un trimestre a suffi. Puis il a été vendu au Syndicat mixte de Pays du Maine-Normand qui était à la recherche d'un ordinateur plus puissant.

«C'est une réalisation très concrète, c'est un échange fructueux entre l'enseignement et le milieu du travail», a dit le président Henri-Jacques de Caumont en recevant l'ordinateur.

M. Jolivet a salué cette réalisation, son utilité et le service rendu par le club informatique.

«Les élèves, devenus constructeurs, comprennent maintenant mieux ce qui se passe à l'intérieur». Il s'agit d'un PC qui peut même accueillir le nouveau processeur d'Intel. Le traitement de texte, les tableurs, etc. vont être utilisés régulièrement pour un coût de 15.000 F.

1a Lis l'article ci-dessus qui a paru dans un journal local.
Ecris dix questions que le journaliste a peut-être posées (aux élèves ou au professeur) pour pouvoir écrire son article.

Le Minitel

Vous habitez en France? Vous avez un téléphone à la maison? Dans ce cas-là, vous avez sûrement aussi un MINITEL. Le Minitel, qu'est-ce que c'est?

Ça consiste en un moniteur, un modem et un clavier attaché à un téléphone. On peut y brancher une imprimante. Il existe aussi des Minitels portatifs. Avec ce système, on est relié à tout un réseau d'informations et de services. Le vidéotexte permet de trouver des renseignements sur les transports, les magasins, les restaurants; de commander des billets; d'acheter des marchandises, qu'on peut payer avec une carte de crédit lue par la machine Minitel; de s'échanger des informations, des conseils. La photo montre comment savoir la météo, en utilisant le système Minitel.

Il est possible d'avoir sa boîte aux lettres électronique associée à sa ligne téléphonique et protégée par un mot de passe. Avec cela, on peut lire et envoyer des messages personnels.

Le Minitel sert aussi d'annuaire: on peut chercher le numéro de téléphone de n'importe qui, n'importe où en France.

1b Es-tu un(e) fan de l'informatique?
A deux: Posez-vous ces questions et répondez-y.

- As-tu un ordinateur à la maison? Si oui, depuis combien de temps?
- Si oui, est-ce que c'est pour jouer ou est-ce pour du travail plus sérieux (par exemple, pour faire tes devoirs)?
- Dans quelles leçons travailles-tu avec l'ordinateur au collège?
- Y a-t-il un club d'informatique à ton collège? Si oui, c'est quel jour? Y assistes-tu? Souvent ou pas souvent?
- Achètes-tu des magazines 'informatique'? Lesquels? Souvent?
- Crois-tu que l'informatique te sera indispensable dans ta carrière future? Quels aspects de l'informatique, en particulier?

Composez encore trois questions sur ce thème. Posez-les à d'autres membres de la classe.

1c A deux: Nommez cinq métiers où l'informatique joue un rôle important aujourd'hui.

1d Voici des termes d'informatique, en français et en anglais. Trouve les équivalents.

1	l'ordinateur	A	keyboard
2	un modem	B	keys
3	la micro-édition	C	computer
4	la mémoire vive	D	hard disk
5	la mémoire morte	E	hardware
6	la messagerie électronique	F	software
7	une base de données	G	database
8	une télécopie	H	electronic mail
9	un lecteur de disquette	I	RAM
10	un disque dur	J	ROM
11	le matériel	K	printer
12	le logiciel	L	spreadsheet
13	un tableur	M	modem
14	le clavier	N	DTP
15	les touches	O	fax
16	une souris	P	mouse
17	une imprimante	Q	disk drive

1e Ecoute.

a Qui parle?

b Ils parlent de quels aspects de l'informatique?

c Note, pour chaque personne, un avantage et un inconvénient de l'informatique.

d A deux: Pensez à d'autres avantages et inconvénients.

2a La télé: un embarras de choix
La diffusion par satellite et par câble a augmenté le choix de programmes.
Lis les résultats d'un sondage à ce sujet.

L'ARRIVEE DU CABLE: ETES-VOUS POUR OU CONTRE?

Notre reporter a interviewé des passants dans les rues d'Armentières. Il a posé la même question à trente personnes.

Martine Jumeau:
Moi je suis totalement contre. Je vois comment il faut détruire les trottoirs et le paysage pour enterrer tous les câbles. Je trouve que ce n'est vraiment pas nécessaire.

Brigitte Malle:
Avec tant de chaînes, je suis convaincue que la qualité de la plupart des programmes est inférieure.

Christian Latour:
Je préfère avoir des câbles sous la terre plutôt que ces bols satellites qu'on voit collés sur les murs des maisons et qui sont si laids.

Armand Janvier:
Moi je trouve que c'est une bonne chose. On peut voir des programmes qui ont un intérêt local; on peut même faire des émissions soi-même si on veut.

Danielle Bons:
Moi j'habite toute seule et je trouve très bien d'avoir tant de choix de programmes. Moi je suis pour. Je crois que le câble est une bonne chose. Seulement, ça coûte très cher.

François Launay:
A mon avis, le câble, il faut l'accepter. C'est un signe des progrès technologiques. Et dans le siècle à venir, les télécommunications seront de plus en plus importantes. Moi je suis pour.

Charles Dutoit:
Moi, je suis contre. J'estime que beaucoup de gens passent déjà trop de temps devant leur téléviseur. Et ça, c'est avec un choix de cinq ou six chaînes seulement.

2b Etudie l'article de plus près.

- Qui est pour? Qui est contre?
- Note les raisons pour et contre.
- Trouve d'autres raisons pour ou contre.
- Trouve les expressions qu'on peut utiliser quand on donne son opinion.
  Exemple: Je trouve que ...

2c A deux: Discutez les pour et les contre.
Choisissez chacun(e) un rôle opposé.

Je suis d'accord Je ne suis pas d'accord	avec	toi vous ça

2d En groupe ou à deux: Préparez un programme!
Avec le 'câble', les amateurs auront peut-être l'occasion de préparer et présenter un programme, sur un sujet de leur choix.
Inventez (à l'oral, puis à l'écrit) le titre et le sujet de votre programme.
Résumez (en bref) le contenu.

3a Lis l'article et trouve la bonne réponse à la question.

LES FEUILLETONS – TU AIMES?

En France, il n'y a pas beaucoup de feuilletons français.
Mais les Français adorent les séries américaines et australiennes en version française.
Le pays le plus fanatique de feuilletons, c'est les Etats-Unis.

Savez-vous pourquoi on les appelle 'soaps' en anglais?

a) Parce que le premier feuilleton – télévisé en 1955 – s'appelait 'SOAP'.

b) Parce que, dans les premiers feuilletons, il y avait toujours une laverie automatique où tout le monde se retrouvait.

c) Parce que les premiers feuilletons étaient sponsorisés par des marques de lessive.

d) Parce que les premiers 'soaps' passaient au moment où les ménagères faisaient la lessive.

3b Réponds aux questions, puis compare avec un(e) partenaire.

- Tu aimes les feuilletons?
- Lequel préfères-tu? Pourquoi?
- Ça passe quel jour, à quelle heure?
- Ça dure combien de temps?
- De quoi s'agit-il?
- Qu'est-ce qui se passe en ce moment?
- Qui est ton personnage préféré? Pourquoi?
- Décris-le.

3c A deux: Préparez un exposé (deux minutes maximum) sur votre feuilleton préféré. Présentez-le à la classe.

3d Voici, tirés du *Figaro TV Magazine*, les résumés de quatre épisodes de 'Santa Barbara'. Lis-les. Choisis un des exercices suivants.

a Explique en anglais ce qui se passe cette semaine dans 'Santa Barbara'.

b Consulte les pages d'un télé-magazine britannique. Trouve le résumé d'un feuilleton populaire. Ecris le résumé en français.

c Invente des événements qui pourraient avoir lieu dans ton 'soap' préféré. Écris le résumé des épisodes en français.

LUNDI 11 MAI

18.55 SANTA BARBARA
Feuilleton américain.
avec: **A. Martinez, Lane Davies.**

Julia et Mason font réaliser le portrait-robot de l'assassin d'Eleanor et l'on reconnaît parfaitement Pamela. Jane essaie d'influencer Keith pour qu'il réintègre Brick, mais Keith consulte le casier judiciaire de Jane et peut ainsi la faire changer. Mel vient voir Tori et lui propose de la drogue.

MERCREDI 13 MAI

18.50 SANTA BARBARA
Feuilleton américain.
avec: **A. Martinez, Lane Davies.**

Keith essaie de traîner Cruz dans la boue pendant l'audience. Tori, désemparé par les absences répétées de Mason, demande à Mel de lui procurer de la drogue.

JEUDI 14 MAI

18.50 SANTA BARBARA
Feuilleton américain.

Le procès continue et Keith fait venir Pearl à la barre. Quant à Carmen, elle est peut-être sur la piste de la mystérieuse femme voilée.

VENDREDI 15 MAI

18.55 SANTA BARBARA
Feuilleton américain.
avec: **A. Martinez, Lane Davies.**

Carmen arrive en retard au tribunal. Elle fait part à Julia du résultat de son enquête qui permet à celle-ci et à Cain de rencontrer la mystérieuse femme.

10 On s'en va

A La grande évasion

1

2

Pendant les vacances, je vais dans
un village de vacances au bord de la
mer près de Biarritz. J'y suis allée
l'année dernière. On y fait beaucoup
de sports. Cette année, je vais suivre
un cours de planche à voile et de
plongée sous-marine. L'année dernière,
j'ai fait de la voile. Le soir, on
joue au ping-pong et au volley-
ball. C'est vraiment extra!
Clarisse.

Je vais au Lavandou avec
ma famille. On loue un
appartement. On y va chaque
année. C'est à deux minutes
de la plage. On y connaît
déjà tout le monde et mes
parents ont beaucoup
d'amis. Ils sortent souvent
le soir avec eux, pendant
que je garde mon petit
frère à l'appartement.
Je préférerais sortir
avec des copains.
Auban

1a Les photos sont à qui?

Exemple: La photo numéro un appartient à ...

1b Ecoute: Qui parle? Comment voyagent-ils? Avec qui?

en	train/avion/voiture/vélo/bateau/camping-car
à	pied/cheval
avec	ses parents/sa famille/ses copains/la famille de ...

3

4

Nous avons une caravane sur la côte d'Azur. C'est très bien. On y connaît déjà tout le monde. J'y ai beaucoup d'amis qu'on retrouve chaque année. On a beaucoup d'histoires à se raconter. Je suis impatiente d'y retourner. On passe la journée à la piscine, et le soir on se traîne sur la plage et on se fait de nouveaux amis.
Lydie.

En été, je vais chez mes grands-parents. Ils ont une petite ferme en Normandie. Mes parents restent en ville pour s'occuper du café. Ils prennent leurs vacances en hiver.
J'aide mon grand-père à nourrir les animaux et à nettoyer les écuries, et il me permet de conduire le tracteur. J'aime ça.
Guillaume

1c Ecoute: Qu'est-ce qu'ils aiment et qu'est-ce qu'ils n'aiment pas?

1d Qu'est-ce que tu fais normalement pendant les grandes vacances?
Qu'est-ce que tu aimes et qu'est-ce que tu n'aimes pas?
Prépare et enregistre une présentation.

Exemple: Je reste chez moi./Je vais ... avec ...
On va au bord de la mer/à la campagne/en montagne/en ville/...

2a Qu'est-ce qu'ils ont fait l'année dernière? Ça s'est bien passé?

Exemple: Il/Elle est allé(e)/resté(e) ...
Il/Elle a fait ...

2b Ecoute: Qu'est-ce qu'ils préféreraient faire?

2c Prépare et enregistre une réponse aux questions.

1 Qu'est-ce que tu as fait l'année dernière?

Je suis	resté(e) chez moi allé(e) ...	J'ai	fait ...
On est Nous sommes	allé(e)s ...	On a Nous avons	

2 Qu'est-ce que tu vas faire cette année?

Exemple: J'irai .../On ira .../Nous irons ...

3 Et, finalement, qu'est-ce que tu préférerais faire? Pourquoi?

Exemple: Je préférerais aller aux Antilles/faire un tour en vélo avec mes copains/apprendre à faire du parapente.

2d Interviewe un(e) partenaire et écris un résumé.

Exemple: Normalement, il/elle va ...
L'année dernière, il/elle est allé(e) ...
Cette année, il/elle va ...
Il/Elle préférerait aller ...

3a A deux: Travaillez le dialogue.

Avez-vous une chambre de libre/de la place pour ce soir?

- Pour combien de personnes?
- Pour ... adultes et ... enfants.
- Pour combien de temps?
- Une nuit/Deux nuits/Une semaine. Ça coûte combien?
- ... F la nuit par personne (avec petit déjeuner).

- Je regrette, monsieur/madame. Nous sommes complets.
- Est-ce qu'il y a un(e) autre ... près d'ici?
- Oui, il y en a un(e) à ... minutes d'ici.
- Dans quelle direction?
- Direction de *Paris*. Vous retournez sur l'autoroute et prenez la prochaine sortie, direction *Lille*.
- Merci. Au revoir, madame/monsieur.

Hôtel Bonséjour

Chambres d'hôte

Auberge de jeunesse

Appartements Mer et Soleil

Camping municipal

3b Ecris une lettre pour réserver une chambre ou un emplacement.

Monsieur/Madame, ________, le 20 juin ______

Je voudrais réserver (une chambre/un emplacement pour une caravane/une tente) pour (deux personnes/deux adultes et deux enfants) pour (trois nuits/une semaine), du (14) au (21 août).

Est-ce que vous pouvez nous indiquer vos prix et nous envoyer (une brochure du camping/de l'hôtel/des environs)? Est-ce qu'on peut faire (de la planche sur le lac)?

Est-ce qu'il y a (une piscine/un restaurant/un bar/un magasin) dans le camping/à l'hôtel?

Je vous remercie d'avance.

Flash info

Verbe: préférer

présent:	je préfère	*imparfait:*	je préférais
	tu préfères	*passé composé:*	j'ai préféré
	il/elle préfère	*futur:*	je préférerai
	nous préférons	*conditionnel:*	je préférerais
	vous préférez		
	ils/elles préfèrent		

Bon voyage!

A

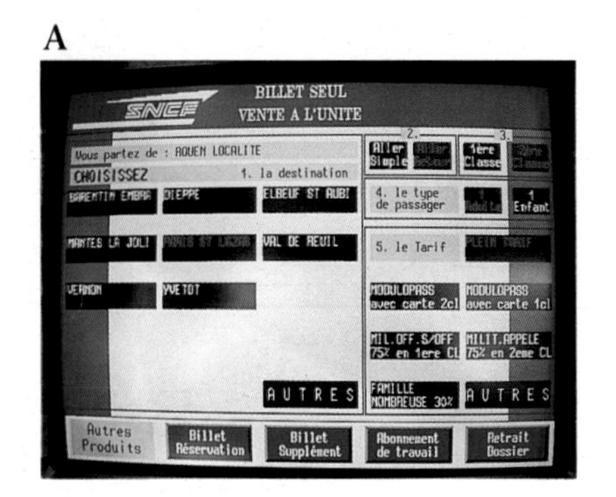

B

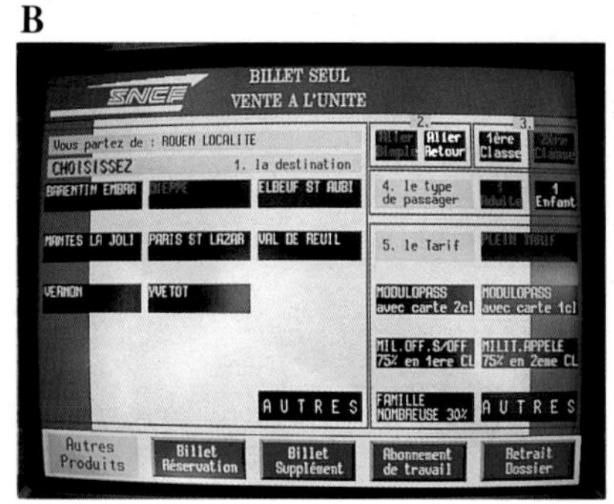

C

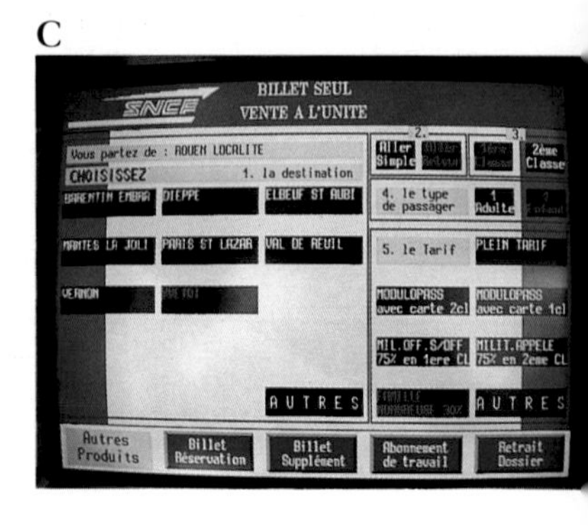

1 Indiquez votre localité
2 Choisissez
 i la destination
 ii le type de billet
 iii la classe
 iv le type de passager
 v le tarif

1a A la gare: Que dis-tu pour acheter ces billets au guichet?

1b Ecoute: Les trains à destination de Lyon (1–7)

a Les trains partent à quelle heure?
b Ils arrivent à quelle heure?
c Est-ce qu'il faut changer?
d Est-ce qu'il faut payer un supplément?

2 A deux: Travaillez le dialogue.

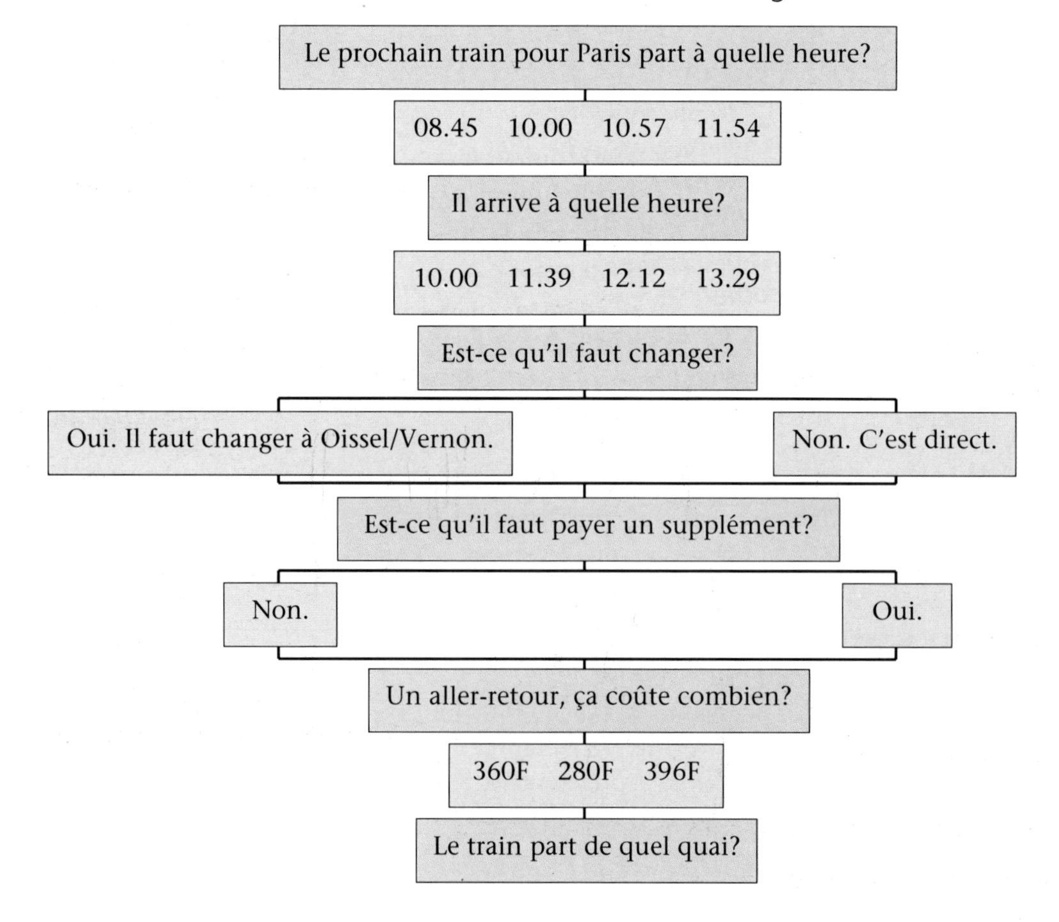

3a En panne: Travaillez le dialogue à deux.

Le téléphone de secours est automatique. On n'a pas besoin d'argent. Quand on utilise le téléphone, la personne qui répond sait déjà le numéro de l'appareil et où vous vous trouvez.

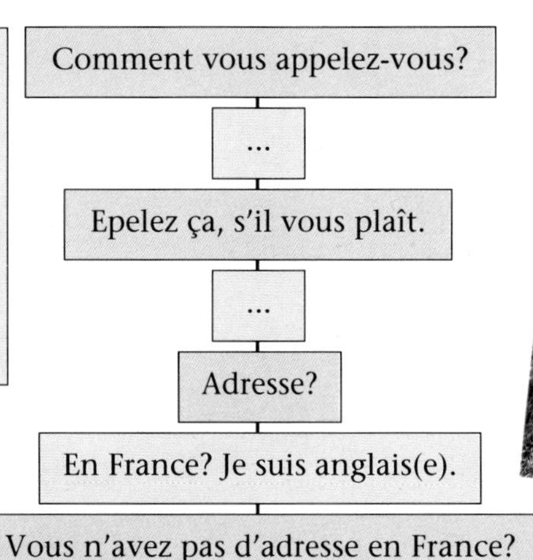

Comment vous appelez-vous?

...

Epelez ça, s'il vous plaît.

...

Adresse?

En France? Je suis anglais(e).

Vous n'avez pas d'adresse en France?

Si, Camping les Trois Pins, Orange. | Non.

Qu'est-ce qui ne va pas?

La voiture perd de l'eau./Le moteur ne marche plus./Il y a de la fumée qui sort du moteur.

C'est quelle marque de véhicule?

Une Ford.

Couleur?

Bleu foncé.

Immatriculation?

K726 SPH

Quelqu'un arrivera dans une demi-heure.

Merci.

A *les freins ne fonctionnent pas bien*

E *le moteur fait un bruit bizarre*

B *un pneu est crevé*

F *la voiture perd de l'eau*

C *l'essuie-glace ne marche plus*

D *les vitesses ne marchent pas*

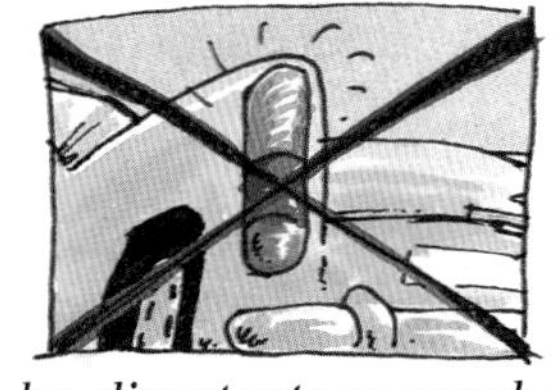

G *les clignotants ne marchent pas*

3b Ecoute: Qu'est-ce qui ne va pas? (1–4)

3c Ecoute: Infos routières. Quels conseils est-ce qu'on donne?

Exemple: Si possible, éviter de circuler ...

4a Tu fais un stage au syndicat d'initiative d'Yverdon. Ecoute les visiteurs: Qu'est-ce qu'ils cherchent? (1–5)

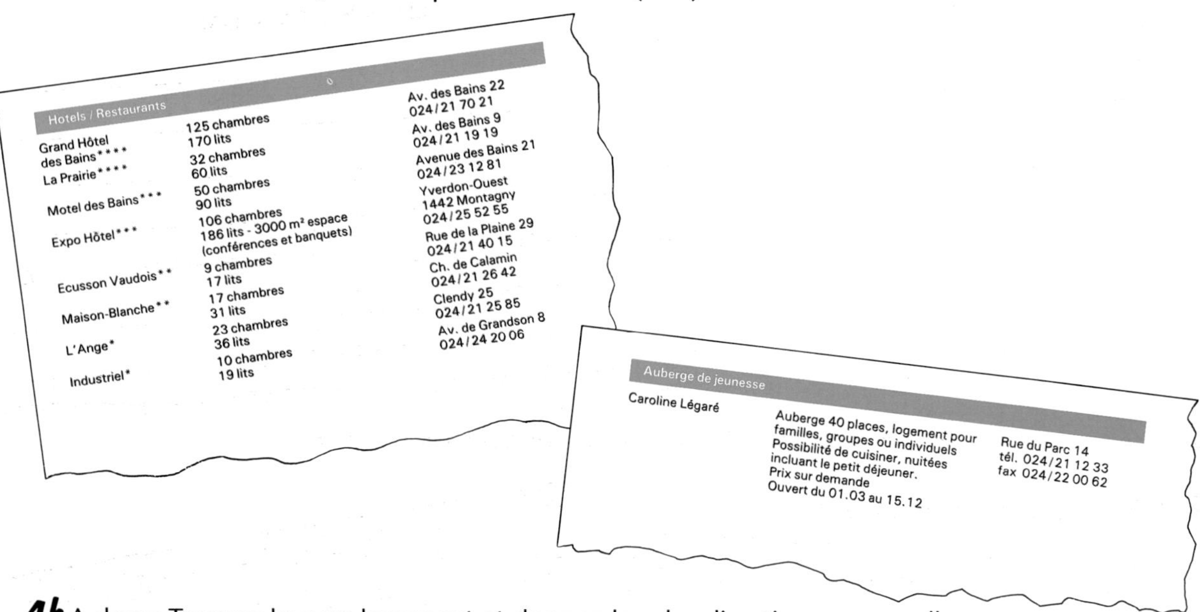

Hotels / Restaurants

Grand Hôtel des Bains****	125 chambres 170 lits	Av. des Bains 22 024/21 70 21
La Prairie****	32 chambres 60 lits	Av. des Bains 9 024/21 19 19
Motel des Bains***	50 chambres 90 lits	Avenue des Bains 21 024/23 12 81
Expo Hôtel***	106 chambres 186 lits - 3000 m² espace (conférences et banquets)	Yverdon-Ouest 1442 Montagny 024/25 52 55
Ecusson Vaudois**	9 chambres 17 lits	Rue de la Plaine 29 024/21 40 15
Maison-Blanche**	17 chambres 31 lits	Ch. de Calamin 024/21 26 42
L'Ange*	23 chambres 36 lits	Clendy 25 024/21 25 85
Industriel*	10 chambres 19 lits	Av. de Grandson 8 024/24 20 06

Auberge de jeunesse

Caroline Légaré	Auberge 40 places, logement pour familles, groupes ou individuels Possibilité de cuisiner, nuitées incluant le petit déjeuner. Prix sur demande Ouvert du 01.03 au 15.12	Rue du Parc 14 tél. 024/21 12 33 fax 024/22 00 62

4b A deux: Trouvez-leur un logement et donnez-leur les directions pour y aller. Préparez et enregistrez ce que vous allez dire.

Exemple: Vous sortez d'ici et vous tournez/prenez ...
Vous continuez tout droit/le long de ...
Vous traversez/passez ... et c'est ...
C'est à cinq minutes/pas loin d'ici.

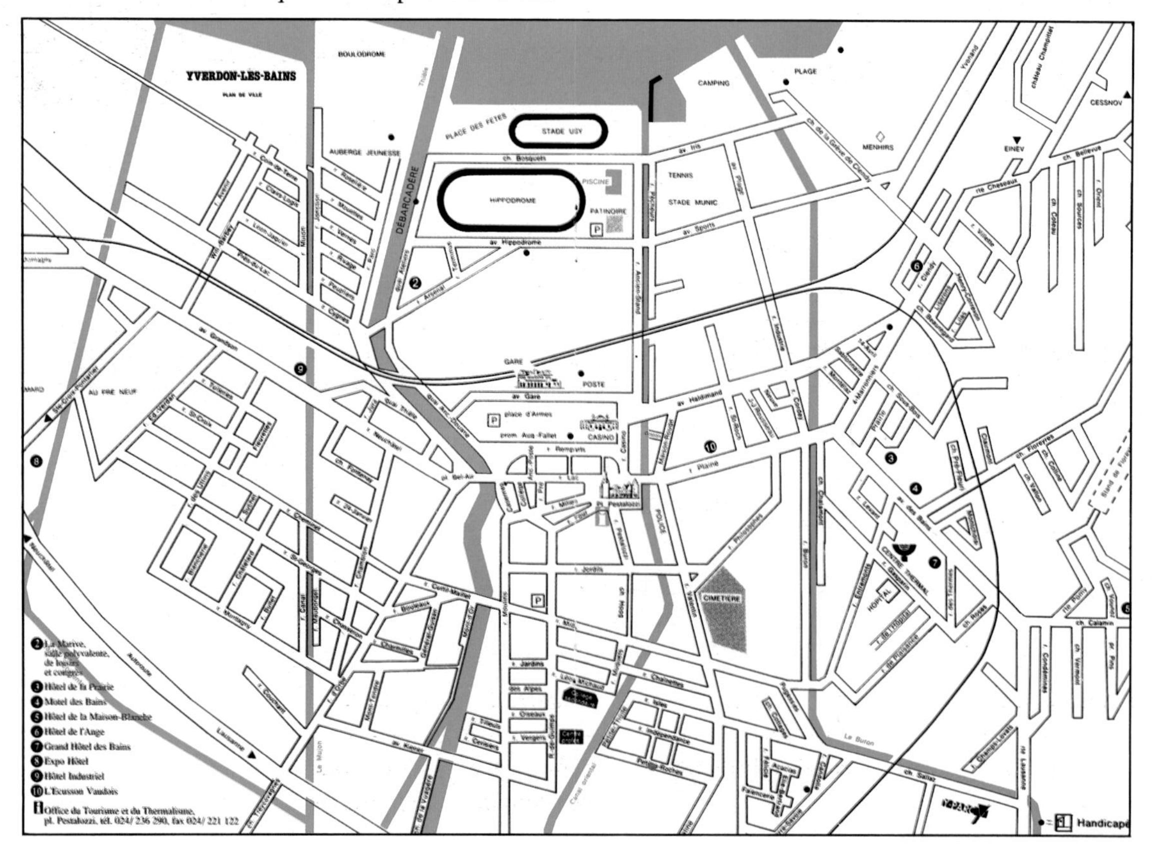

5a Ecoute: Tu fais un stage de réceptionniste dans un hôtel près de chez toi.
Deux voyageurs français arrivent.
Copie et remplis leurs fiches.

Albany Hotel

REGISTRATION FORM

NAME: ______________________

ADDRESS: ______________________

PHONE: ______________________

ACCOMPANIED BY: ______________________

DATE OF ARRIVAL: ___/___/___ DATE OF DEPARTURE: ___/___/___

CAR REGISTRATION: ______________________

SPECIAL DIETARY REQUIREMENTS IF ANY: ______________________

5b Ecoute: On te demande des conseils. Qu'est-ce qu'on veut savoir? (1–6)

5c Prépare et enregistre tes réponses.

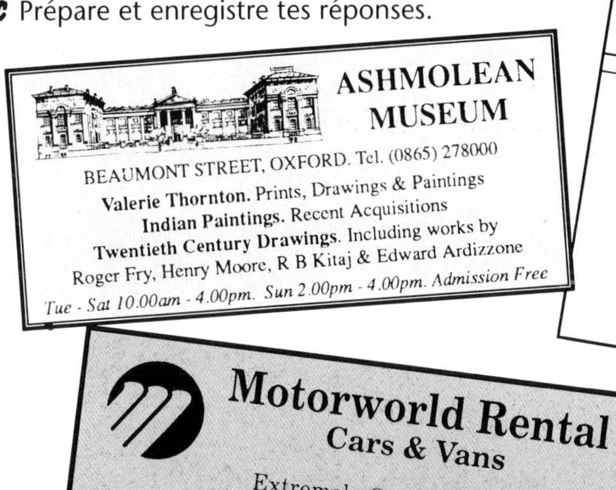

OXFORD → LONDON MON–FRI

OXFORD	DEP	0752	0940	1025	1125
READING	ARR	0832	1021	1102	1202
LONDON PADDINGTON	ARR	0910	1100	1141	1241

Flash info

Verbe: devoir

présent:	je dois	nous devons	*imparfait:*	je devais
	tu dois	vous devez	*passé composé:*	j'ai dû
	il/elle/on doit	ils/elles doivent	*futur:*	je devrai
			conditionnel:	je devrais

C La pince à ongles

MARIE-CLAUDE et Luc Matisse descendirent du taxi devant l'hôtel Paradis. C'était un hôtel de luxe, trois étoiles, vieux mais propre : un ancien château, en fait, entouré de beaux jardins et de gros arbres. Un hôtel qui se trouvait au milieu de la campagne, loin de la ville industrialisée et bruyante.

Le chauffeur de taxi prit les valises de M. et Mme Matisse, et les apporta à l'entrée. Luc remplit une fiche à la réception.

– Chambre numéro huit, dit le patron, donnant la clé de cette chambre à Monsieur Matisse.

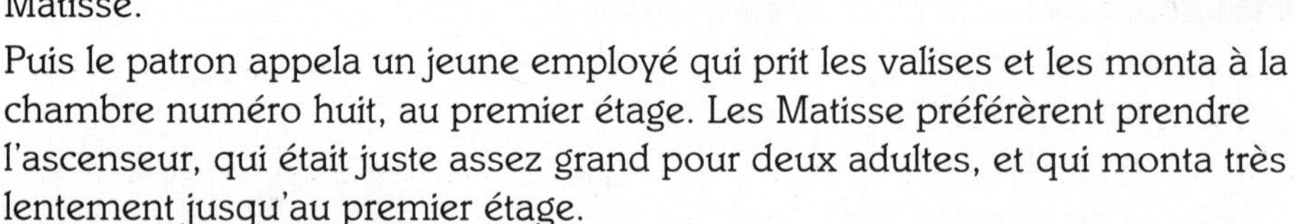

Puis le patron appela un jeune employé qui prit les valises et les monta à la chambre numéro huit, au premier étage. Les Matisse préférèrent prendre l'ascenseur, qui était juste assez grand pour deux adultes, et qui monta très lentement jusqu'au premier étage.

L'employé tourna la clé dans la porte de la chambre numéro huit; les Matisse entrèrent dans la chambre. C'était une chambre immense, avec un grand lit, deux armoires, une petite table et un bureau. En plus, un poste de télévision, un petit frigo rempli de bouteilles et de fruits frais, et une vue splendide sur les beaux jardins.

En fait, c'était la chambre la plus luxueuse de tout l'hôtel. Avec salle de bains privée, bien sûr.

* * *

LUC MATISSE donna un pourboire à l'employé, qui partit. Il ferma la porte derrière lui.

Dans le taxi, et depuis leur arrivée, Luc et Marie-Claude n'avaient pas prononcé un seul mot. Ils n'avaient pas l'habitude de se parler. Entre eux les relations étaient froides. Il ne se parlaient que rarement.

Toujours sans parler, Marie-Claude commença à défaire sa valise. Puis elle mit ses robes et ses pulls dans l'armoire. Luc, un peu fastidieux, examina la petite table pour savoir si elle était poussiéreuse; puis les draps, pour savoir s'ils étaient propres. Puis, il regarda bien la lampe près du lit, pour voir si elle marchait. Luc voulait toujours la perfection. Dans cet hôtel tout était parfait. La table était très propre, les draps blancs, et la lampe s'alluma sans problème.

Luc ouvrit sa valise. Il sortit des papiers, qu'il mit dans un tiroir; il rangea son costume et ses chemises dans l'armoire. Puis il mit sa trousse de toilette dans la salle de bains.

Fatigué, il s'assit sur le lit et, un peu ennuyé, examina l'ongle de son index. L'ongle était cassé. Alors il rentra dans la salle de bains chercher sa pince à ongles dans sa trousse de toilette. Il retourna dans la chambre, se coupa l'ongle cassé, et posa la pince sur la petite table.

Puis il regarda de nouveau ses ongles. Il décida de se couper tous les ongles. Mais ...

– Tiens! Tu n'as pas vu ma pince à ongles?

Marie-Claude n'était pas habituée à parler avec son mari.

– Non.

– Mais elle était sur la table.

Luc ne comprit pas. Il chercha sur la table. Sous la table. Dans le sac à main de sa femme. Mais sans succès.

– C'est bizarre.

Il alla vers la salle de bains.

– Je l'avais prise dans la salle de bains, dans ma trousse de ...

Il regarda dans la salle de bains.

– Mais ... je ne comprends pas. Ma trousse de toilette a disparu aussi. Ce n'est pas possible, Marie-Claude, ce n'est pas possible.

Marie-Claude regarda son mari.

– Je ne comprends pas. J'avais pris la pince dans ma trousse de toilette. J'avais pris la trousse dans ma val ...

Il indiqua la chaise où il avait posé sa valise. La valise avait disparu! La pince à ongles ... la trousse de toilette ... la valise ...

– Ce n'est vraiment pas possible, répéta Luc Matisse, consterné.

Il alla à la porte de la chambre, l'ouvrit, et regarda dans le couloir. Une femme de chambre passait l'aspirateur. Luc ne voyait personne d'autre.

Il referma la porte de la chambre, se retourna afin de discuter du problème avec sa femme. Mais sa femme n'était plus assise sur le lit.

* * *

Luc chercha dans la salle de bains. Il chercha même dans l'armoire. Mais Marie-Claude n'était ni dans la salle de bains ni dans l'armoire. Comme la pince à ongles, comme la trousse de toilette, comme la valise, Marie-Claude avait disparu!

Et à ce moment-là, Luc eut peur. Il essaya de se persuader qu'il imaginait ces événements. Il commença même à se paniquer.

Encore une fois, il regarda dans l'armoire: ses vêtements avaient disparu. Les vêtements de Marie-Claude aussi! Il ouvrit le tiroir. Ses papiers avaient disparu. Furieux mais tremblant de peur, il décrocha le téléphone.

– Allô! Réception? C'est urgent. Voulez-vous monter à la chambre numéro huit, s'il vous plaît?

– Tout de suite, monsieur.

Le patron posa son journal sur le comptoir et monta l'escalier. Le patron frappa à la porte de la chambre numéro huit, et attendit. Il frappa de nouveau.

Puis, il ouvrit la porte et entra.

– Monsieur? Monsieur?

Mais Monsieur n'était pas là. Le propriétaire de l'hôtel chercha partout – dans la chambre, dans la salle de bains, sous le lit. La chambre était complètement vide. Il n'y avait plus personne. Il n'y avait plus rien.

Le propriétaire partit, et ferma la porte. Il n'avait pas vu la pince à ongles qui se trouvait sur la petite table.

Grammaire

Table des matières

1 Les Verbes (Verbs)

1.1 L'infinitif et le radical (The infinitive and the stem)

Verbs are words which show an action. They are something you can do e.g. to run, to think, to sit, to eat, to buy.

There are three main types of regular verb in French.

Those that end in -er e.g. jou**er**
-ir e.g. fin**ir**
-re e.g. répond**re**

If you take the ending off, the rest of the verb is called the stem: *jou-*, *fin-*, *répond-*. This is used in making other forms of the verb.

1.2 Les temps (The tenses)

Tenses tell us when something happens – in the past, present or future. These are the main tenses you will need:

Past: Passé composé
Imparfait

Present: Présent

Future: Futur
Futur proche

PAST

Passé composé (Perfect)
J'ai fait — I did/have done
Je suis allé(e) — I went/I have gone

tells us about something which has happened or happened once in the past, i.e. a completed action

Imparfait (Imperfect)
Je faisais — I was doing/I used to do
Je jouais — I was playing/I used to play

tells us about something which used to happen, happened for a long time or was happening, i.e. a regular, long term or interrupted action

PRESENT

Présent (Present)
Je fais — I do/I am doing
Je joue — I play/I am playing

tells us about something that is happening now or usually happens (there are two forms in English but only one in French)

FUTURE

Futur (Future)
Je ferai — I will do
J'irai — I will go

tells us about something that will happen in the future

Futur proche (Near future)
Je vais faire — I'm going to do
Je vais aller — I'm going to go

tells us about something that will happen in the near future

For more information on the use and formation of the tenses see sections **1.3** to **1.13**. For more information on irregular verbs see the tables on pages 174–81.

1.3 Le présent (Present)

To form the present take the stem of the infinitive and add the endings. There are three main groups:

-er verbs

singulier
je donn**e** I give/am giving
tu donn**es** you give/are giving
il/elle donn**e** he/she/it gives/is giving

pluriel
nous donn**ons** we give/are giving
vous donn**ez** you give/are giving
ils/elles donn**ent** they give/are giving

-ir verbs

singulier	*pluriel*
je fin**is**	nous fin**issons**
tu fin**is**	vous fin**issez**
il/elle fin**it**	ils/elles fin**issent**

If a verb takes *être* the past participle has to agree with the subject.

If the subject is feminine add an 'e'
If the subject is plural add an 's'
If the subject is both feminine and plural add 'es'

Change the following account of Sophie's day into the past using the *passé composé*:

1 Je me lève à sept heures.
2 Je téléphone à ma copine.
3 Nous nous rencontrons au café.
4 On boit un coca.
5 Puis on va aux magasins.
6 Ma copine achète un CD.
7 On voit le frère de ma copine.
8 Ma copine et son frère rentrent chez eux.
9 Je reste en ville pour faire des courses.
10 Je rentre assez tard.

1.9 L'imparfait (Imperfect)

To form the imperfect take the *nous* form of the verb in the present tense, cross off the *-ons* and add the endings.

	nous form	–ons	+ ais
jouer	jouons	jou-	je jouais
faire	faisons	fais-	je faisais
voir	voyons	voy-	je voyais

The endings are:

singulier		*pluriel*	
je	**-ais**	nous	**-ions**
tu	**-ais**	vous	**-iez**
il/elle	**-ait**	ils/elles	**-aient**

There is one verb which does not follow the above pattern – *être*. With *être* the endings are added to *ét-* (*j'étais* etc.)

Passé composé ou imparfait?

1 L'année dernière nous ______ (aller) en Grèce. Il ______ (faire) très chaud.
2 Quand j' ______ (être) petit ______ (avoir) les cheveux plus blonds.
3 Elle ______ (faire) ses devoirs quand le téléphone ______ (sonner).
4 J'______ (écrire) souvent des lettres pendant les vacances.
5 Ils ______ (être) dans le jardin quand elle ______ (partir).
6 Quand elle ______ (être) institutrice elle ______ (travailler) tous les soirs.
7 Samedi on ______ (aller) à la boum de Patrick. C'______ (être) super!
8 Hier je ______ (se coucher) à dix heures.

1.10 Le futur (Future)

The future tense is formed by adding the endings to the infinitive. If the infinitive ends in 'e' take off the 'e' first.

	-er	-ir	-re
je	donner**ai**	finir**ai**	répondr**ai**
tu	donner**as**	finir**as**	répondr**as**
il/elle/on	donner**a**	finir**a**	répondr**a**
nous	donner**ons**	finir**ons**	répondr**ons**
vous	donner**ez**	finir**ez**	répondr**ez**
ils/elles	donner**ont**	finir**ont**	répondr**ont**

See the tables on pages 174–181 for the formation of the future for irregular verbs.

The *futur* in *quand* clauses:
Elle **viendra** quand elle **sera** prête.
(Literally: She will come when she will be ready.)

Change the infinitives into the correct form of the *imparfait*.

1 C'(être) formidable!
2 A l'âge de dix ans elle (avoir) les cheveux courts.
3 Nous (jouer) au tennis quand il a commencé à pleuvoir.
4 Quand j'(être) étudiant je (vendre) des glaces pour gagner de l'argent.
5 Elle (regarder) la télé quand son copain est arrivé.
6 Je (dormir) quand il est arrivé.

1.11 Le futur proche (Near future)

This is formed with the present tense of *aller* plus the infinitive.
Je vais faire mes devoirs.
Ils vont manger au restaurant.

Change the following sentences into
i) Futur proche ii) Futur

1 Nous allons à la piscine.
2 On mange à McDonald's.
3 Elle prend l'avion.
4 Ils partent à deux heures.
5 Tu as des problèmes.
6 Je mets ma veste en cuir.
7 Elles jouent au tennis.
8 Vous voyez loin du sommet de la colline.
9 Je me lève tot.
10 Elle achète une nouvelle voiture.

1.12 Le plus-que-parfait (Pluperfect)

The *plus-que-parfait* is used to say what **had happened** (i.e. before something else happened). In the same way as in English, it is usually formed by using the past tense of *avoir*, plus the past participle, e.g.
Elle **avait fini**, alors elle est sortie.
She had finished, so she went out.

As you might expect, verbs using *être* in the *passé composé* also require it in the *plus-que-parfait*, e.g.
Comme je m'**étais lavé**, je me suis couché.
As I had washed, I went to bed.

1.13 Le passé simple (Past historic)

The *passé simple* is used to write about what **happened once**, in the past. You are only likely to find it in newspaper articles or stories. In regular verbs it is formed with the infinitive stem plus:

-er verbs	-ir/-re verbs	Some irregular verbs
-ai	-is	-us
-as	-is	-us
-a	-it	-ut
-âmes	-îmes	-ûmes
-âtes	-îtes	-ûtes
-èrent	-irent	-urent

1.14 Venir de + Infinitif

In English we say that we have **just done** something, when we have only just finished. The French say they 'are coming from doing' it e.g.
Je viens de revoir Manon des Sources à la télé.
I've just seen Manon des Sources again on TV.

Note also:
je **venais de** voir... – I **had just** seen...

1.15 Après avoir + Participe passé

In English we say that **after doing** something, we did something else. The French equivalent of this is *après avoir* (or *être*) plus the past participle e.g.

Après avoir payé, j'ai quitté le café.
After paying, I left the café.
Après être rentré chez moi, j'ai dîné.
After getting home, I had supper.

1.16 Présent + depuis

In English we say that we **have been doing** something **for** some time (and we still are doing it). French focuses more strongly on the 'still are' part of the situation, and so it uses the present tense plus *depuis* (since).
J'**apprends** le français **depuis** quatre ans.
I've been learning French for four years.
(Translating literally, 'I **am learning** French **since** four years.')

1.17 Le conditionnel (Conditional)

The *conditionnel* is used to say what **would** happen.
Si j'avais assez d'argent, j'**irais** en Australie.
If I had enough money, I'd go to Australia.

Note its use for politeness:
Pourriez-vous ouvrir la fenêtre?
Could you open the window?
Je **voudrais** un kilo de pommes.
I'd like a kilo of apples.

The endings are added to the infinitive e.g.

je donner**ais**	vous donner**iez**
tu donner**ais**	nous donner**ions**
il/elle/on donner**ait**	ils/elles donner**aient**

If the infinitive ends in an 'e' omit the 'e'.

Finally, the conditional tense is used in reported speech just as it would be in English:

'J'y **irai**.'
'I **shall** go there.'
Il a dit qu'il y **irait**.
He said he **would** go there.

1.18 Le présent du subjonctif (Present subjunctive)

The subjunctive does exist in English, though it is relatively little used. It is rather commoner in French, particularly in the present tense, but at this stage you will normally only be expected to recognise it. Usually the forms are close enough to the usual ones to enable you to recognise the meaning, but watch out for the following irregular verbs:

Infinitive	**Subjunctive**
avoir	j'aie (note also nous ayons)
boire	je boive
être	je sois (note also nous soyons)
faire	je fasse
pouvoir	je puisse
savoir	je sache

1.19 L'impératif (Imperative)

The *impératif* is used to tell people what to do. To form it, start with the *tu* and *vous* forms of the present tense.

To tell more than one person (or someone you don't know well) what to do, use the *vous* form unchanged:
Ecoutez et répondez à ces questions.
Listen and answer these questions.

The *tu* form (used for people you know well) also remains the same for most verbs:
Finis tes devoirs! Finish your homework!
Réponds à la question! Answer the question!

However, with *-er* verbs, the final 's' is dropped:
Ecoute! Listen!
Ferme la porte! Close the door!

Note also these exceptions:

avoir	aie	ayez
être	sois	soyez

Reflexive verbs: With these you need to use a reflexive pronoun e.g.
Levez-**vous**! Lève-**toi**!
Taisez-**vous**! Tais-**toi**!

Note that *te* becomes *toi* and *me* becomes *moi* in the imperative.

Turn the statements into commands.

1 Vous vous levez tôt.
2 Tu regardes la télévision.
3 Tu parles plus fort.
4 Vous continuez tout droit.
5 Tu tournes à gauche.
6 Vous êtes tranquilles.

1.20 La négation (Forming the negative)

ne ... pas = not
Il pleut. ➪ Il **ne** pleut **pas**.

Before a vowel the *ne* is shortened to *n'*, e.g.
Je **n'**aime **pas** les légumes. ➪ Je **n'**en ai **pas**.

Where there are object pronouns before the verb, *ne* goes in front of all of them, e.g.
Il **ne** vous le donnera **pas**.

In the *passé composé* the *ne* and *pas* go either side of *avoir* (or *être*), e.g.
J'ai mis ma clé dans ma poche.
➪ Je **n'**ai **pas** mis ma clé dans ma poche.

Ne and *pas* are placed together before an infinitive (and also before any pronouns which go with that infinitive), e.g.
Il a décidé de **ne pas** l'acheter.

ne ... plus	no more, no longer
ne ... rien	nothing, not anything
ne ... jamais	never, not ever
ne ... personne	no one, not anyone
ne ... nulle part	nowhere, not anywhere
ne ... ni ... ni	neither ... nor
ne ... que	not ... except, only
ne ... aucun	not a ... , no ...

The first three work exactly like *ne ... pas*, but when the others are used with the *passé composé* they go **after** the past participle, e.g.
Il **n**'a trouvé **personne** dans la maison.
Je **ne** l'ai vu **nulle part**.

Change the sense of the sentences as indicated.

1 Je l'aime. (no longer)
2 Elle a beaucoup d'argent. (not)
3 Je l'ai trouvé. (nowhere)
4 J'ai une soeur. (only)
5 Il a vu quelqu'un dans le jardin. (no-one)
6 Elle a décidé de le faire. (never)
7 Nous avons un chat et un chien. (neither ... nor)

1.21 On pose des questions (Asking questions)

Word order

There are three main ways of asking a question expecting a yes/no answer:

a) Using intonation only
As in English you can ask a question by making a statement, and then raising your voice at the end, e.g.
Tu as fini? Marie est arrivée?
This is quite common in spoken French.

b) Putting the subject after the verb
With pronoun subjects, you simply put the verb first, and place a hyphen between verb and subject, e.g.
Tu finis. ➪ Finis-tu?
Tu as fini. ➪ As-tu fini?

A *t* is placed between two vowels to make pronunciation easier, e.g.
A-t-elle commencé? Va-t-on? Viendra-t-il?

If the subject is a noun, you have to use a pronoun **as well**, e.g.
Marie est-**elle** arrivée?

c) Using *Est-ce que ...*
You can place *Est-ce que ...* before the statement, e.g.
Est-ce que Marie est arrivée?

Question words

In English, these are words like 'who?', 'what?', 'which?', 'where?', 'why?' and 'how?' They are often called **interrogative** words. There are interrogative pronouns (e.g. '**Who** is coming?'); interrogative adjectives (e.g. '**Which** apple do you want?'); and interrogative adverbs (e.g. '**Where** is it?') French has similar words.

Les pronoms interrogatifs

qui? who(m)?
que? (or qu'?) what?
lequel/laquelle/lesquels/lesquelles? which one(s)?

Where *qui* or *lequel* etc. is the subject of the sentence you can use the normal statement order and intonation.
Qui a fait ça?
Lequel est le meilleur?

If *qui* is the subject you can also use *est-ce qui*:
Qui est-ce qui vient?

Where *qui*, *que* or *lequel* etc. is the object you can ask questions by putting the object before and the subject after the verb.
Qui a-t-il vu là?
Que veux-tu?
Laquelle veux-tu?

Or you can use *est-ce que*:
Qui est-ce que nous allons voir?
Qu'est-ce qu'il veut?
Laquelle des émissions est-ce que tu préfères?

Les adjectifs interrogatifs

quel/quelle/quels/quelles? which?

If the noun following *quel* etc. is the subject use the normal statement order and intonation.
Quelle couleur est la plus belle?

If it is the object you can put the object before and the subject after the verb.
Quelle couleur préfère-t-elle?

Or you can use *est-ce que*.
Quelle couleur est-ce qu'elle préfère?

Les adverbes interrogatifs

où? where?
quand? when?
comment? how?
pourquoi? why?

You can use the ordinary statement form with rising intonation.
Elle y va quand?

You can put the subject after the verb.
Quand va-t-elle y aller?

You can use *est-ce que*.
Quand est-ce qu'elle va y aller?

2 Les substantifs (Nouns)

2.1 Le genre (Gender)

In French all nouns have a grammatical gender: they are either masculine or feminine. With people, the gender is normally what you would expect, e.g.

un père   une mère   un frère   une soeur

However, with other nouns there are no easy rules to work out gender. For example:

Masculine		Feminine
un bateau	but	une auto
le Japon	but	la France

Some nouns relating to people have both masculine and feminine forms, e.g.
un ami/une amie   un acteur/une actrice

Here are some common pairs of endings:

-ant/-ante	-er/-ère	-e/-esse
-é/-ée	-en/-enne	-eur/-euse

2.2 Pluriels (Plurals)

Most nouns form the plural by adding *s*
porte ➪ portes   enfant ➪ enfants

Nouns ending in *-eu* or *-eau* add *x*
bateau ➪ bateaux   neveu ➪ neveux

Nouns ending in *-al* change to *-aux*
cheval ➪ chevaux

Nouns ending in *-s*, *-x* or *-z* don't change
bois ➪ bois   prix ➪ prix   nez ➪ nez

Nouns ending in *-ou* usually add *s*
trou ➪ trous

but note exceptions adding *x*:
bijou ➪ bijoux
caillou ➪ cailloux
chou ➪ choux
genou ➪ genoux

Note also the following plurals:
oeil ➪ yeux   travail ➪ travaux
monsieur ➪ **mes**sieurs (and **mes**dames, **mes**demoiselles)
grand-père ➪ grand**s**-pères (and grands*-mères)
* **NB** Not grandes

2.3 La possession (Possession)

There is no French equivalent of the apostrophe *s* which shows possession in English. You have to use *de* (= of) in all cases, e.g.

la soeur de mon ami	my friend's sister
la mère de Claudette	Claudette's mother

2.4 Les compléments directs et indirects (Direct and indirect objects)

In English we can say: The teacher gave John a book.

We mean: The teacher gave **a book** to John.

'A book' is the direct object as it is the thing being given. 'John' is the indirect object as it is being given **to** him.

In French you always put the direct object first.
Le prof donne **un livre** à John.
Il a donné un livre à John.

2.5 L'article défini (Definite article)

	Singular Masculine	Feminine
the	le or l'	la or l'
(to the)	(au or à l')	(à la or à l')
(of the)	(du or de l')	(de la or de l')

	Plural	
	Masculine	**Feminine**
the	les	les
(to the)	(aux)	(aux)
(of the)	(des)	(des)

Note: French uses the definite article in a few situations where English does not:

- For languages, countries, and geographical areas and other features, e.g.
  le français **l'**Angleterre **la** Bretagne
- In talking about the price of a quantity, e.g.
  onze francs **le** kilo (compare English: **a** kilo)
- In making generalisations about something, e.g.
  J'aime **les** glaces. (English: I like ice-creams.)
- In talking about parts of the body, e.g.
  Il a les yeux marron.
  (English: He has brown eyes.)
  Elle s'est cassé la jambe.
  (English: She broke her leg.)

2.6 L'article indéfini (Indefinite article)

	Singular	
	Masculine	**Feminine**
French	un	une
English	a/an	a/an

	Plural	
	Masculine	**Feminine**
French	des	des
English	some (or 'any' in questions)	

With adjectives that are placed before the noun, *de* is used rather than *des*, e.g.
Ils ont fait **de** graves erreurs.
They have made some big mistakes.

Note: In the sentence above, we might have left out the 'some' altogether. In French, however, an indefinite article **must** be included. Here is another example:
J'ai acheté des pommes et des poires.
I've bought (some) apples and (some) pears.

On the other hand, English uses the indefinite article in one or two places where French does not:

- In talking about jobs, e.g.
  Ma mère est médecin.
  My mother is **a** doctor.
- In expressions like 'What **a** pity!' French just uses *quel(le)*:
  Quel dommage!

2.7 Ne ... pas de

After a **negative**, where English uses 'any', French uses just *de* (or *d'*), e.g.
Nous n'avons plus **d'**oeufs.
We haven't **any** eggs left.

2.8 Du, de la, des

Some things cannot be counted (e.g. butter, water, sugar). The words for them therefore have no plurals. The partitive article is used before such nouns in French; you use *du*, *de l'* and *de la*, e.g.
Voici du beurre, du pain et de la confiture.
Here is (some) butter, (some) bread and (some) jam.

You use *de* alone after most negatives:
Je n'ai pas **de** papier. I haven't **any** paper.

3 Les pronoms (Pronouns)

3.1 Le genre (Gender)

A pronoun is a word which stands in for a noun.

John est grand.	**Il** est grand.
Anne est grande.	**Elle** est grande.
Le livre est bleu.	**Il** est bleu.
Ma voiture est rouge.	**Elle** est rouge.

All nouns in French are masculine or feminine, so all pronouns are also masculine or feminine.

3.2 Tu, vous

Vous is used when you are talking to more than one person or you are talking to someone of higher status, or whom you don't know very well.

Tu is used when you are talking to an equal – someone you do know well (including animals!)

3.3 Les compléments directs et indirects (Direct and indirect objects)

Subject	Direct object	Indirect object
je (j')	me (m')	me (m')
tu	te (t')	te (t')
il	le (l')	lui
elle	la (l')	lui
on	se (s')	se (s')
nous	nous	nous
vous	vous	vous
ils	les	leur
elles	les	leur

Indirect object pronouns replace '*à* + noun'. They mean 'to me', 'to them', and so on – e.g.
Je **lui** ai donné un cadeau.
I gave him a present.

Remember that some French verbs must be followed by *à*, when the equivalent verb in English takes a direct object. So you must say, e.g.
Il **lui** a demandé ... He asked him (or her) ...

Also: répondre, téléphoner, ressembler

3.4 La position

Object pronouns usually go **before the verb**, e.g.
Je prépare une omelette – puis je **la** mange!
I make an omelette – then I eat it!
Pierre? Je ne **l'**ai pas vu aujourd'hui.
Pierre? I haven't seen him today.

But note: With the near future (*futur proche*):
Je vais **le** voir demain.
I'm going to see him tomorrow.

With the imperative:
Ecoutez-**moi** bien!
Listen to me carefully!
Voici un nouveau cahier. Donne-**le** à Marie.
Here is a new exercise book. Give it to Marie.

With the negative imperative:
Ne **les** touche pas!
Don't touch them!
Ne **me** quittez pas!
Don't leave me!

3.5 Plus d'un pronom

Object pronouns must follow a fixed order. When they are in front of the verb, the indirect object goes before the direct object, except that *lui* and *leur* are exceptions and follow the direct object. The order is:

❶ before		❷ before	❸ before	❹
me	te	le/la	lui	y
nous	vous	les	leur	en

For example:
Il **me l'**a donné.
Je **le lui** ai envoyé.
Je **lui en** ai parlé.

But in positive commands and requests, where the pronouns follow the imperative, the rule is different. Direct object pronouns **always** go before indirect object pronouns, e.g.
Dites-**le-moi**! Envoyez-**la-leur** vite!

Replace the words in italics with a pronoun.

1 J'écris une longue lettre *à mon amie.*
2 J'ai acheté *ce pantalon* hier.
3 Je vais parler *à mon frère* demain.
4 Il a vu *sa mère* au marché.
5 Elle a donné *les livres* à son cousin.
6 Elle va offrir *un cadeau* à sa soeur.
7 Je donne *la clef à mon frère.*
8 Il m'a envoyé *une carte.*
9 Vous nous montrerez *les photos.*
10 Mes parents offrent *un CD à ma soeur.*

3.6 Y et en

Y

Y replaces *à* + place. Its position is before the verb, except with a command. In English its equivalent is often 'there' (i.e. a place which has already been mentioned).
Tu vas souvent au cinéma?
Oui, j'**y** vais une fois par semaine.
Non, je n'**y** vais jamais.
Y is also found in some 'set' phrases such as '*Il y a ...*'

En

En replaces a word or phrase beginning with *du/de la/de l'/des*. Its position is before the verb (except in a command). In English its meaning is 'some, any, of it/them'.

Tu manges souvent des frites?
Oui, j'**en** mange assez souvent.

Note that you can add a precise number or quantity after the verb:
Tu as des animaux à la maison?
Oui, j'**en** ai deux – un chat et un hamster.
Non, je n'**en** ai pas.
Tu vas acheter des pommes de terre?
Oui, je vais **en** acheter un kilo.

En also forms part of some common 'set' phrases e.g. *J'en ai marre* (I'm fed up with it).

Y and *en* always come after all other object pronouns (see page 164).

3.7 Moi, toi etc.

When pronouns are used on their own, some persons have special forms:
moi (je) toi (tu) lui (il) soi (on) eux (ils)
Qui est là? – **Moi.** Who's there? – Me.

These forms are also used after prepositions, e.g.
chez **eux** après **toi** pour **moi**

You can also use these special forms to emphasise an ordinary subject pronoun, e.g.
Moi, je ne le crois pas. **I** don't think so.

3.8 Les pronoms relatifs – qui et que (Relative pronouns)

The relative pronouns *qui* and *que* mean 'who' (or 'whom', in the case of *que*), 'which' or 'that'.

Qui is used as the **subject** of the clause which follows, e.g.
L'homme **qui** entre s'appelle M. Dutoit.
The man **who** is coming in is called M. Dutoit.
(*qui* is the subject of *entre*.)

Voici le livre **qui** est si intéressant.
This is the book **which** is so interesting.
(*qui* is the subject of *est*.)

Que is used as the object of the clause which follows, e.g.
Le tableau **que** vous voyez là est de Degas.
The painting (**which**) you see there is by Degas.
L'homme **que** je cherchais était parti.
The man (**whom**) I was looking for had left.

> *Qui* or *que*?
>
> 1 Le train _________ je prends part à six heures.
> 2 J'ai perdu le livre _________ était dans mon sac.
> 3 Le CD _________ j'ai acheté était très bon marché.
> 4 Elle a mangé les chocolats _________ Pierre avait achetés pour sa mère.
> 5 Nous avons vu la fille _________ était chez Sarah samedi.
> 6 Je préfère les films _________ me font rire.

3.9 Dont

Dont means 'of which', 'of whom', or 'whose', e.g.
Le livre **dont** je parle ...
The book **of which** I speak ...
La fille **dont** la mère vient d'arriver ...
The girl **whose** mother has just arrived ...

Note also:
La chose **dont** je me souviens ...
The thing (**which**) I remember ...

3.10 Les pronoms relatifs suivant une préposition

For people, you can use *qui*, e.g.
L'homme à **qui** elle a parlé ...

For things, you need to use *lequel, laquelle, lesquels* or *lesquelles*. Note that the form chosen must agree with the related noun, e.g.
La rue dans **laquelle** je me suis trouvé ...

Note: à + lequel ➪ auquel
de + lesquelles ➪ desquelles
etc.

3.11 Les pronoms interrogatifs (Interrogative pronouns)

See section **1.21** (page 161).

3.12 Les pronoms démonstratifs (Demonstrative pronouns)

To say 'this one', 'that one', 'these (ones)' and 'those (ones)' in French, the basic words are *celui*, *celle*, *ceux* and *celles*. To make things clearer, you can add *-ci* for 'this', and *-là* for 'that':

Singular

	Masculine	**Feminine**
-ci	celui-ci this one	celle-ci this one
-là	celui-là that one	celle-là that one

Plural

	Masculine	**Feminine**
-ci	ceux-ci these (ones)	celles-ci these (ones)
-là	ceux-là those (ones)	celles-là those (ones)

Examples:
Laquelle des deux préférez-vous? – Celle-ci.
Which of the two do you prefer? – This one.
Ceux-là sont moins intéressants que ceux-ci.
Those are less interesting than these.

Note also:
Quel livre lis-tu? – Celui que tu m'as donné.
Which book are you reading? – The one you gave me.

4 Les adjectifs (Adjectives)

4.1 L'accord (Agreement)

Adjectives describe nouns. In French, they need to 'agree' with the noun they describe in both **gender** and **number**. The following table summarises all the forms of regular adjectives. (For common irregular adjectives, see page 167.)

Regular adjectives

Singular

Masculine	**Feminine**
grand	grand**e**
important	important**e**
inconnu	inconnu**e**
joli	joli**e**
vert	vert**e**

Plural

Masculine	**Feminine**
grand**s**	grand**es**
important**s**	important**es**
inconnu**s**	inconnu**es**
joli**s**	joli**es**
vert**s**	vert**es**

Adjectives ending in *e*: no extra *e* in the feminine

jeune jeune jeunes jeunes

Those ending in *s*: no extra *s* in the masculine plural

mauvais mauvais**e** mauvais mauvais**es**

Those ending in *-er*: note the *è* in the feminine forms

premier premi**è**re premier**s** premi**è**res

Adjectives ending in *x* use a different pattern

sing	merveilleux	merveilleu**se**
pl	merveilleux	merveilleu**ses**

Some adjectives ending in a final consonant double it before adding *e* in the feminine forms

bon	bon**ne**	bon**s**	bon**nes**
gros	gros**se**	gros (NB no extra *s*)	gros**ses**

Irregular adjectives

A number of French adjectives are irregular – including some of the commonest ones. The table on the next page summarises those you are most likely to meet.

Singular

Masculine	**Feminine**
beau (bel*)	belle
blanc	blanche
long	longue
nouveau (nouvel*)	nouvelle
principal	principale
public	publique
secret	secrète
vieux (vieil*)	vieille

Plural

Masculine	**Feminine**
beaux	belles
blancs	blanches
longs	longues
nouveaux	nouvelles
principaux	principales
publics	publiques
secrets	secrètes
vieux	vieilles

* This form is the one used before a masculine noun beginning with a vowel or a silent *h*.

4.2 Position

Most adjectives go **after** the noun in French, e.g.

ma jupe **verte**

However, some common ones go in front of the noun:

bon	good	mauvais	bad
court	short	long	long
grand*	big, tall	petit	small
vieux	old	jeune	young

beau	beautiful
excellent	excellent
gentil	kind
gros	fat
haut	high
joli	pretty
ancien*	former
cher*	dear
propre*	own

Examples:

le **petit** garçon une **haute** colline

Note: The words starred have a different meaning if they are placed **after** the noun, e.g.

un **grand** homme	a **great** man
un homme **grand**	a **tall** man
l'**ancien** régime	the **former** government
un bâtiment **ancien**	an **old** building
mon **cher** ami	my **dear** friend
un pullover **cher**	an **expensive** pullover
ma **propre** maison	my **own** house
une maison **propre**	a **clean** house

Complete/Expand the following sentences by adding adjectives of your choice.

i) Make sure the adjective(s) agree(s).

ii) Put it/them in the right place.

1 J'ai acheté une jupe.
2 Les maisons étaient ...
3 Ma copine est ...
4 Je porte des baskets.
5 J'habite une ville.
6 C'est un film ...
7 Les arbres étaient ...
8 Mon chanteur préféré est ...
9 Elle avait les cheveux ...
10 Nous avons un chien.

4.3 Les comparatifs et les superlatifs (Comparatives and superlatives)

In English short adjectives commonly use '-er' and 'est' to form the comparative and superlative (e.g. 'bigger' and 'biggest'), while the longer ones use 'more' and 'most' (e.g. 'more important', 'most important'). French almost always uses the latter system.

For 'more' and 'most' French uses *plus* (more) and *le plus* (most), e.g.

Cette jupe est **plus chère** que l'autre.
This skirt is more expensive than the other one.

La plus grande île du monde est le Groënland.
The biggest island in the world is Greenland.

Two common adjectives have irregular forms:

bon	meilleur	better
	le meilleur	the best
mauvais	pire*	worse
	le pire*	the worst

* *plus mauvais* and *le plus mauvais* are becoming more common

For 'less' and 'least', French uses *moins* and *le moins*, e.g.

Ces pommes-ci sont **moins** chères que celles-là.
These apples are less expensive than those.
Mais celles-là sont **les moins** chères.
But those (over there) are the least expensive.

Note also: *aussi ... que* – as big as etc.

Make sentences which include comparative or superlative adjectives.

1 éléphant / chien
2 football / hockey / tennis
3 le vin / la bière / l'eau
4 Paris / Londres
5 les actualités / les films / les documentaires
6 les filles / les garçons

4.4 Les adjectifs démonstratifs (Demonstrative adjectives)

The English 'this/that' and 'these/those' have the following equivalents in French:

Singular

Masculine	**Feminine**
ce (cet*)	cette

Plural

Masculine	**Feminine**
ces	ces

* Before a masculine noun starting with a vowel or a silent *h*.

Note that, as adjectives, these need to agree with the noun in gender and number, e.g.

ce bureau	**cet** homme
cet arbre	**cet** excellent repas
cette femme	**ces** églises
ces oeufs	

To make things clearer, you can add *-ci* for 'this', and *-là* for 'that', e.g.

Je préfère cette couleur-ci.
I prefer this colour.
Connais-tu cet homme-là?
Do you know that man (over there)?

4.5 Les adjectifs possessifs (Possessive adjectives)

	Singular **Masculine**	**Feminine**
my	mon	ma (mon*)
your (sing.)	ton	ta (ton*)
his/her	son	sa (son*)
our	notre	notre
your (pl.)	votre	votre
their	leur	leur

	Plural **Masculine and Feminine**
my	mes
your (sing.)	tes
his/her	ses
our	nos
your (pl.)	vos
their	leurs

* Used before a feminine word starting with a vowel or a silent *h*, e.g.

Son histoire est très amusante.

Note that, as adjectives, these need to agree with the noun in gender and number. (It is this that matters, not the sex of the 'owner' – so, for example, ***son*** *frère* can mean either '**her** brother' or '**his** brother'.)

Fill in the gaps.

Ma soeur, Sylvie, habite en Australie avec ____ mari et ____ deux enfants. ____ maison est assez petite mais ____ jardin est énorme. ____ cousins ont beaucoup d'animaux. ____ chien s'appelle César et ____ chats s'appellent Minnie et Mickey. L'année prochaine j'irai à Sydney avec ____ père. Et toi? Où habitent ____ frère et ____ soeur?

5 Les adverbes (Adverbs)

5.1 La formation

Adverbs provide further information about verbs, adjectives or other adverbs: e.g. 'He **drives well**', 'It's an **extremely old** building', 'He did it **alarmingly badly**.' In English we form most adverbs by adding '-ly' to an adjective. Similarly, in French you add
-ment. In the majority of cases the *-ment* is added to the feminine form of the adjective, e.g.

lente ➪ lentement
complète ➪ complètement

However, where the **masculine** form of the adjective ends in *-i* or *-u*, you add *-ment* to that, e.g.

absolu ➪ absolument
vrai ➪ vraiment

5.2 Les comparatifs et les superlatifs (Comparatives and superlatives)

These are formed in much the same way as with adjectives, e.g.

lentement	plus lentement	le plus lentement
slowly	more slowly	(the) most slowly

And for 'less' and 'least', you say *moins* and *le moins*, e.g.

moins difficile	le moins difficile
less difficult	(the) least difficult

Note: *bien* has an irregular comparative and superlative:

bien	good
mieux	better
le mieux	(the) best

Quantifiers are special adverbs used to say **to what extent** something is so. The most common ones in French are:

assez	rather, quite, fairly
bien	very; (sometimes) rather
peu	a little, not very
presque	almost, nearly
si	so, such a
tout à fait	absolutely, entirely, completely
très	very
trop	too

They are used with adjectives and with other adverbs, e.g.

Je suis tout à fait épuisé!
I'm completely exhausted!
Elle l'a fait presque parfaitement.
She did it almost perfectly.

6 Les prépositions (Prepositions)

6.1 Les prépositions principales

Prepositions tell you where a person or thing is i.e. its position. For example:

à	at, to
dans	in, into
derrière	behind
devant	in front of
entre	between
sous	under

Other prepositions include:

après	after
avant	before
avec	with
chez	at the house of
de	of
en	in, to, by
pendant	during
pour	for
sans	without

A few common English prepositions are translated by short phrases in French:

près de	near
en face de	opposite
à côté de	beside

6.2 Verbe + Préposition + Infinitif

Some verbs can be followed by an infinitive without any linking word:

aimer	détester	laisser	préférer
aller	devoir	pouvoir	

Examples:
Je peux faire ça.   J'aime danser.

Other verbs must be linked to the infinitive with a preposition. The following verbs take *à* before the infinitive:

aider à	se mettre à	commencer à
apprendre à	réussir à	

Examples:
Il aide son frère à faire ses devoirs.
Il commence à pleuvoir.

Other verbs must be linked to the infinitive by *de*.

avoir envie de	essayer de
avoir peur de	éviter de
cesser de	finir de
conseiller de	oublier de
décider de	se souvenir de
défendre de	tenter de
empêcher de	

Examples:
Il a oublié d'acheter un cadeau.
J'ai envie de sortir.

7 Les quantités (Quantities)

General words expressing quantity are usually followed by *de* in French. The most common ones are:

assez (de)	enough
beaucoup (de)	much, many, a lot of
peu (de)	not much, little, few
tant (de)	so much, so many
trop (de)	too much, too many
un peu (de)	a little

Examples:
Nous n'avons pas assez **de** crayons.
We haven't enough pencils.
Il a beaucoup **d**'amis.
He has many friends.

But note: you do not need to use *de* after the quantity word *plusieurs* (= several):
J'ai plusieurs bonnes idées.
I've several good ideas.

You also use *de* after other quantity expressions:

un demi-kilo **de** pêches	half a kilo of peaches
une portion **de** frites	a portion of chips
une bouteille **de** vin	a bottle of wine

8 Les nombres (Numbers)

8.1 Les nombres cardinaux (Cardinal numbers)

0	zéro	20	vingt
1	un	21	vingt et un
2	deux	22	vingt-deux
3	trois	23	vingt-trois
4	quatre	24	vingt-quatre
5	cinq	25	vingt-cinq
6	six	26	vingt-six
7	sept	27	vingt-sept
8	huit	28	vingt-huit
9	neuf	29	vingt-neuf
10	dix	30	trente
11	onze	31	trente et un
12	douze	40	quarante
13	treize	50	cinquante
14	quatorze	60	soixante
15	quinze	70	soixante-dix
16	seize	71	soixante-onze
17	dix-sept	80	quatre-vingts
18	dix-huit	81	quatre-vingt-un
19	dix-neuf	90	quatre-vingt-dix
		91	quatre-vingt-onze

100	cent
101	cent un
122	cent vingt-deux
200	deux cents
220	deux cent vingt
1 000	mille
2000	deux mille
1 000 000	un million
2 000 000	deux millions

8.2 Les nombres ordinaux (Ordinal numbers)

1er/re	premier/première
2me	deuxième
3me	troisième
4me	quatrième
5me	cinquième
6me	sixième
7me	septième
8me	huitième
9me	neuvième
10me	dixième
11me	onzième
12me	douzième

20me	vingtième
21me	vingt et unième
22me	vingt-deuxième
40me	quarantième
100me	centième

9 Le calendrier (The calendar)

Les jours de la semaine

lundi mardi mercredi jeudi vendredi samedi dimanche

Les mois de l'année

janvier février mars avril mai juin juillet août septembre octobre novembre décembre

You do not normally use either a preposition or an article when you mention the day, e.g.

J'y suis allée **lundi**.
I went there on Monday.

But note: You always include *le* if you are talking about something you **usually** or **always** do, e.g.

J'y vais (toujours) le lundi.
I (always) go there on Mondays.

Les quatre saisons

le printemps l'été l'automne l'hiver

au printemps	in spring
en été	in summer
en automne	in autumn
en hiver	in winter

10 L'heure (The time)

1.00 Une heure
1.05 Une heure cinq
1.10 Une heure dix
1.15 Une heure et quart
1.20 Une heure vingt
1.25 Une heure vingt-cinq
1.30 Une heure et demie
1.35 Deux heures moins vingt-cinq
1.40 Deux heures moins vingt
1.45 Deux heures moins **le** quart
1.50 Deux heures moins dix
1.55 Deux heures moins cinq

Examples:
Quelle heure est-il? – Il est neuf heures et quart.
What time is it? – It's a quarter past nine.
Il est arrivé à sept heures moins vingt-cinq.
He arrived at twenty-five to seven.

Note the use of the twenty-four hour clock with trains etc.:

00.10	Zéro heures dix
01.15	Une heure quinze
11.30	Onze heures trente
22.45	Vingt-deux heures quarante-cinq

Tableaux de conjugaison

A Verbes réguliers

	-er verbs	-ir verbs	-re verbs	Reflexive verbs
Infinitif (Infinitive)	donner *to give*	finir *to finish*	répondre *to answer*	se laver *to get washed*
Participes (Participles)	donnant donné	finissant fini	répondant répondu	(se) lavant (s'étant) lavé(e)(s)
Présent (Present)	je donne tu donnes il/elle/on donne nous donnons vous donnez ils/elles donnent	je finis tu finis il/elle/on finit nous finissons vous finissez ils/elles finissent	je réponds tu réponds il/elle/on répond nous répondons vous répondez ils/elles répondent	je me lave tu te laves il/elle/on se lave nous nous lavons vous vous lavez ils/elles se lavent
Imparfait (Imperfect)	je donnais tu donnais il/elle/on donnait nous donnions vous donniez ils/elles donnaient	je finissais tu finissais il/elle/on finissait nous finissions vous finissiez ils/elles finissaient	je répondais tu répondais il/elle/on répondait nous répondions vous répondiez ils/elles répondaient	je me lavais tu te lavais il/elle/on se lavait nous nous lavions vous vous laviez ils/elles se lavaient
Passé simple (Past historic)	je donnai tu donnas il/elle/on donna nous donnâmes vous donnâtes ils/elles donnèrent	je finis tu finis il/elle/on finit nous finîmes vous finîtes ils/elles finirent	je répondis tu répondis il/elle/on répondit nous répondîmes vous répondîtes ils/elles répondirent	je me lavai tu te lavas il/elle/on se lava nous nous lavâmes vous vous lavâtes ils/elles se lavèrent
Passé composé (Perfect)	j'ai donné tu as donné il/elle/on a donné nous avons donné vous avez donné ils/elles ont donné	j'ai fini tu as fini il/elle/on a fini nous avons fini vous avez fini ils/elles ont fini	j'ai répondu tu as répondu il/elle/on a répondu nous avons répondu vous avez répondu ils/elles ont répondu	je me suis lavé(e) tu t'es lavé(e) il/elle/on s'est lavé(e)(s) nous nous sommes lavé(e)s vous vous êtes lavé(e)(s) ils/elles se sont lavé(e)s
Plus-que parfait (Pluperfect)	j'avais donné tu avais donné il/elle/on avait donné nous avions donné vous aviez donné ils/elles avaient donné	j'avais fini tu avais fini il/elle/on avait fini nous avions fini vous aviez fini ils/elles avaient fini	j'avais répondu tu avais répondu il/elle/on avait répondu nous avions répondu vous aviez répondu ils/elles avaient répondu	je m'étais lavé(e) tu t'étais lavé(e) il/elle/on s'était lavé(e)(s) nous nous étions lavé(e)s vous vous étiez lavé(e)(s) ils/elles s'étaient lavé(e)s
Futur (Future)	je donnerai tu donneras il/elle/on donnera nous donnerons vous donnerez ils/elles donneront	je finirai tu finiras il/elle/on finira nous finirons vous finirez ils/elles finiront	je répondrai tu répondras il/elle/on répondra nous répondrons vous répondrez ils/elles répondront	je me laverai tu te laveras il/elle/on se lavera nous nous laverons vous vous laverez ils/elles se laveront
Conditionnel (Conditional)	je donnerais tu donnerais il/elle/on donnerait nous donnerions vous donneriez ils/elles donneraient	je finirais tu finirais il/elle/on finirait nous finirions vous finiriez ils/elles finiraient	je répondrais tu répondrais il/elle/on répondrait nous répondrions vous répondriez ils/elles répondraient	je me laverais tu te laverais il/elle/on se laverait nous nous laverions vous vous laveriez ils/elles se laveraient

B Verbes réguliers – attention à l'orthographe!

With most *-er* verbs, as you can see on the previous page, you simply take the *-er* ending off the infinitive, and add the endings you need for a particular tense. (E.g. with *donner* you get *je donne*, *j'ai donné* and so on.) However, watch out for the spelling changes shown below.

Verbs with infinitives ending in *-yer* (note where the *y* changes to *i*) – e.g. *payer*

Présent *Present*	**Imparfait** *Imperfect*	**Passé simple** *Past historic*	**Futur** *Future*	**Conditionnel** *Conditional*
je paie			je paierai	je paierais
tu paies			tu paieras	tu paierais
il/elle/on paie			il/elle/on paiera	il/elle/on paierait
ils/elles paient			nous paierons	nous paierions
			vous paierez	vous paieriez
			ils/elles paieront	ils/elles paieraient

Verbs with infinitives ending in *-ger* (note the *e* is left in before an *a* or an *o*) – e.g. *manger*

Présent	**Imparfait**	**Passé simple**	**Futur**	**Conditionnel**
nous mangeons	je mangeais	je mangeai		
	tu mangeais	tu mangeas		
	il/elle/on mangeait	il/elle/on mangea		
(Note also	ils/elles mangeaient	nous mangeâmes		
mangeant)		vous mangeâtes		

Verbs with infinitives ending in *-cer* (note the *c* changes to *ç* before an *a* or an *o*) – e.g. *commencer*

Présent	**Imparfait**	**Passé simple**	**Futur**	**Conditionnel**
nous	je commençais	je commençai		
commençons	tu commençais	tu commenças		
	il/elle/on commençait	il/elle/on commença		
(Note also	ils/elles commençaient	nous commençâmes		
commençant)		vous commençâtes		

Verbs with infinitives ending in *-é* + consonant(s) *+er* (note where the *é* changes to *è*) – e.g. *espérer*

Présent	**Imparfait**	**Passé simple**	**Futur**	**Conditionnel**
j'espère				
tu espères				
il/elle/on espère				
ils/elles espèrent				

Note: *-éger* verbs (e.g. *protéger*, to protect) change *é* to *è* in this way. They also follow the usual *-ger* pattern (see above), leaving in an *e* before *-ons* and *-ant* – e.g. *nous protégeons*, *protégeant*.

Acheter, mener, se promener, lever, peser (note where *e* changes to *è*) – e.g. *acheter*

Présent	**Imparfait**	**Passé simple**	**Futur**	**Conditionnel**
j'achète			j'achèterai	j'achèterais
tu achètes			tu achèteras	tu achèterais
il/elle/on achète			il/elle/on achètera	il/elle/on achèterait
ils/elles achètent			nous achèterons	nous achèterions
			vous achèterez	vous achèteriez
			ils/elles achèteront	ils/elles achèteraient

Appeler, se rappeler, épeler, jeter (note where the ***l*** or ***t*** doubles) – e.g. *jeter*

Présent	**Imparfait**	**Passé simple**	**Futur**	**Conditionnel**
je jette			je jetterai	je jetterais
tu jettes			tu jetteras	tu jetterais
il/elle/on jette			il/elle/on jettera	il/elle/on jetterait
ils/elles jettent			nous jetterons	nous jetterions
			vous jetterez	vous jetteriez
			ils/elles jetteront	ils/elles jetteront

C Verbes irréguliers

Infinitif *Infinitive*	**Présent** *Present*	**Imparfait** *Imperfect*	**Passé composé** *Perfect*	**Futur** *Future*
Participes *Participles*		**Passé simple** *Past historic*	**Plus-que-parfait** *Pluperfect*	**Conditionnel** *Conditional*
aller	je vais	j'allais	je suis allé(e)	j'irai
to go	tu vas			
	il/elle/on va			
allant	nous allons	j'allai	j'étais allé(e)	j'irais
allé	vous allez			
	ils/elles vont			
apercevoir, *to observe* – see **recevoir**				
apprendre, *to learn* – see **prendre**				
s'asseoir	je m'assieds	je m'asseyais	je me suis assis(e)	je m'assiérai
to sit down	tu t'assieds			
	il/elle/on s'assied			
s'asseyant	nous nous asseyons	je m'assis	je m'étais assis(e)	je m'assiérais
s'étant assise	vous vous asseyez			
	ils/elles s'asseyent			
avoir	j'ai	j'avais	j'ai eu	j'aurai
to have	tu as			
	il/elle/on a			
ayant	nous avons	j'eus	j'avais eu	j'aurais
eu	vous avez			
	ils/elles ont			
battre	je bats	je battais	j'ai battu	je battrai
to beat	tu bats			
	il/elle/on bat			
battant	nous battons	je battis	j'avais battu	je battrais
battu	vous battez			
	ils/elles battent			
boire	je bois	je buvais	j'ai bu	je boirai
to drink	tu bois			
	il/elle/on boit			
buvant	nous buvons	je bus	j'avais bu	je boirais
bu	vous buvez			
	ils/elles boivent			
comprendre, *to understand* – see **prendre**				
conduire	je conduis	je conduisais	j'ai conduit	je conduirai
to drive, lead	tu conduis			
	il/elle conduit			
conduisant	nous conduisons	je conduisis	j'avais conduit	je conduirais
conduit	vous conduisez			
	ils/elles conduisent			

Infinitif *Infinitive* Participes *Participles*	Présent *Present*	Imparfait *Imperfect* Passé simple *Past historic*	Passé composé *Perfect* Plus-que-parfait *Pluperfect*	Futur *Future* Conditionnel *Conditional*
connaître *to know* connaissant connu	je connais tu connais il/elle/on connaît nous connaissons vous connaissez ils/elles connaissent	je connaissais je connus	j'ai connu j'avais connu	je connaîtrai je connaîtrais
construire *to build* construisant construit	je construis tu construis il/elle/on construit nous construisons vous construisez ils/elles construisent	je construisais je construisis	j'ai construit j'avais construit	je construirai je construirais
convaincre, *to convince* – see **vaincre**				
courir *to run* courant couru	je cours tu cours il/elle/on court nous courons vous courez ils/elles courent	je courais je courus	j'ai couru j'avais couru	je courrai je courrais
couvrir *to cover* couvrant couvert	je couvre tu couvres il/elle/on couvre nous couvrons vous couvrez ils/elles couvrent	je couvrais je couvris	j'ai couvert j'avais couvert	je couvrirai je couvrirais
craindre *to fear* craignant craint	je crains tu crains il/elle/on craint nous craignons vous craignez ils/elles craignent	je craignais je craignis	j'ai craint j'avais craint	je craindrai je craindrais
croire *to believe* croyant cru	je crois tu crois il/elle/on croit nous croyons vous croyez ils/elles croient	je croyais je crus	j'ai cru j'avais cru	je croirai je croirais
cueillir *to pick, gather* cueillant cueilli	je cueille tu cueilles il/elle/on cueille nous cueillons vous cueillez ils/elles cueillent	je cueillais je cueillis	j'ai cueilli j'avais cueilli	je cueillerai je cueillerais
cuire, *to cook* – see **conduire**				
découvrir, *to discover* – see **ouvrir**				

Infinitif *Infinitive*	Présent *Present*	Imparfait *Imperfect*	Passé composé *Perfect*	Futur *Future*
Participes *Participles*		**Passé simple** *Past historic*	**Plus-que-parfait** *Pluperfect*	**Conditionnel** *Conditional*
décrire, *to describe* – see **écrire**				
détruire, *to destroy* – see **conduire**				
devenir, *to become* – see **venir**				
devoir *to have to;* *to owe*	je dois tu dois il/elle/on doit nous devons	je devais	j'ai dû	je devrai
devant dû	vous devez ils/elles doivent	je dus	j'avais dû	je devrais
dire *to say*	je dis tu dis il/elle/on dit	je disais	j'ai dit	je dirai
disant dit	nous disons vous dites ils/elles disent	je dis	j'avais dit	je dirais
disparaître, *to disappear* – see **paraître**				
dormir *to sleep*	je dors tu dors il/elle/on dort	je dormais	j'ai dormi	je dormirai
dormant dormi	nous dormons vous dormez ils/elles dorment	je dormis	j'avais dormi	je dormirais
écrire *to write*	j'écris tu écris il/elle/on écrit	j'écrivais	j'ai écrit	j'écrirai
écrivant écrit	nous écrivons vous écrivez ils/elles écrivent	j'écrivis	j'avais écrit	j'écrirais
s'endormir, *to go to sleep* – see **dormir** (**But** remember use of *être* in reflexive verbs)				
entretenir, *to maintain* – see **tenir**				
éteindre, *to extinguish, put out* – see **craindre**				
être *to be*	je suis tu es il/elle/on est	j'étais	j'ai été	je serai
étant été	nous sommes vous êtes ils/elles sont	je fus	j'avais été	je serais
faire *to do;* *to make*	je fais tu fais il/elle/on fait nous faisons	je faisais	j'ai fait	je ferai
faisant fait	vous faites ils/elles font	je fis	j'avais fait	je ferais

Infinitif *Infinitive* Participes *Participles*	Présent *Present*	Imparfait *Imperfect* Passé simple *Past historic*	Passé composé *Perfect* Plus-que-parfait *Pluperfect*	Futur *Future* Conditionnel *Conditional*
falloir *to be necessary* fallu	il faut	il fallait il fallut	il a fallu il avait fallu	il faudra il faudrait
joindre *to join* joignant joint	je joins tu joins il/elle/on joint nous joignons vous joignez ils/elles joignent	je joignais je joignis	j'ai joint j'avais joint	je joindrai je joindrais
lire *to read* lisant lu	je lis tu lis il/elle/on lit nous lisons vous lisez ils/elles lisent	je lisais je lus	j'ai lu j'avais lu	je lirai je lirais
mettre *to put* mettant mis	je mets tu mets il/elle/on met nous mettons vous mettez ils/elles mettent	je mettais je mis	j'ai mis j'avais mis	je mettrai je mettrais
mourir *to die* mourant mort	je meurs tu meurs il/elle/on meurt nous mourons vous mourez ils/elles meurent	je mourais je mourus	je suis mort(e) j'étais mort(e)	je mourrai je mourrais
naître *to be born* naissant né	je nais tu nais il/elle/on naît nous naissons vous naissez ils/elles naissent	je naissais je naquis	je suis né(e) j'étais né(e)	je naîtrai je naîtrais
obtenir, *to obtain* – see **tenir**				
offrir *to offer* offrant offert	j'offre tu offres il/elle/on offre nous offrons vous offrez ils/elles offrent	j'offrais j'offris	j'ai offert j'avais offert	j'offrirai j'offrirais
ouvrir *to open* ouvrant ouvert	j'ouvre tu ouvres il/elle/on ouvre nous ouvrons vous ouvrez ils/elles ouvrent	j'ouvrais j'ouvris	j'ai ouvert j'avais ouvert	j'ouvrirai j'ouvrirais

Infinitif *Infinitive*	**Présent** *Present*	**Imparfait** *Imperfect*	**Passé composé** *Perfect*	**Futur** *Future*
Participes *Participles*		**Passé simple** *Past historic*	**Plus-que-parfait** *Pluperfect*	**Conditionnel** *Conditional*
paraître	je parais	je paraissais	j'ai paru	je paraîtrai
to appear	tu parais			
	il/elle/on paraît			
paraissant	nous paraissons	je parus	j'avais paru	je paraîtrais
paru	vous paraissez			
	ils/elles paraissent			
partir	je pars	je partais	je suis parti(e)	je partirai
to leave	tu pars			
	il/elle/on part			
partant	nous partons	je partis	j'étais parti(e)	je partirais
parti	vous partez			
	ils/elles partent			
peindre, *to paint* – see **craindre**				
permettre, *to permit* – see **mettre**				
plaire	je plais	je plaisais	j'ai plu	je plairai
to please	tu plais			
	il/elle/on plaît			
plaisant	nous plaisons	je plus	j'avais plu	je plairais
plu	vous plaisez			
	ils/elles plaisent			
pleuvoir	il pleut	il pleuvait	il a plu	il pleuvra
to rain				
pleuvant		il plut	il avait plu	il pleuvrait
plu				
pouvoir	je peux	je pouvais	j'ai pu	je pourrai
to be able	tu peux			
	il/elle/on peut			
pouvant	nous pouvons	je pus	j'avais pu	je pourrais
pu	vous pouvez			
	ils/elles peuvent			
prendre	je prends	je prenais	j'ai pris	je prendrai
to take	tu prends			
	il/elle/on prend			
prenant	nous prenons	je pris	j'avais pris	je prendrais
pris	vous prenez			
	ils/elles prennent			
prévoir, *to forecast, to predict* – see **voir**				
produire, *to produce* – see **conduire**				
promettre, *to promise* – see **mettre**				
recevoir	je reçois	je recevais	j'ai reçu	je recevrai
to receive	tu reçois			
	il/elle/on reçoit			
recevant	nous recevons	je reçus	j'avais reçu	je recevrais
reçu	vous recevez			
	ils/elles reçoivent			

Infinitif *Infinitive* / Participes *Participles*	Présent *Present*	Imparfait *Imperfect* / Passé simple *Past historic*	Passé composé *Perfect* / Plus-que-parfait *Pluperfect*	Futur *Future* / Conditionnel *Conditional*
reconnaître, *to recognise* – see **connaître**				
réduire, *to reduce* – see **conduire**				
remettre, *to put back* – see **mettre**				
reprendre, *to take back* – see **prendre**				
retenir, *to keep* – see **tenir**				
revenir, *to return* – see **venir**				
revoir, *to see again* – see **voir**				
rire *to laugh* riant ri	je ris tu ris il/elle/on rit nous rions vous riez ils/elles rient	je riais je ris	j'ai ri j'avais ri	je rirai je rirais
rompre *to break* rompant rompu	je romps tu romps il/elle/on rompt nous rompons vous rompez ils/elles rompent	je rompais je rompis	j'ai rompu j'avais rompu	je romprai je romprais
satisfaire, *to satisfy* – see **faire**				
savoir *to know;* *to know how* sachant su	je sais tu sais il/elle/on sait nous savons vous savez ils/elles savent	je savais je sus	j'ai su j'avais su	je saurai je saurais
sentir *to feel;* *to smell* sentant senti	je sens tu sens il/elle/on sent nous sentons vous sentez ils/elles sentent	je sentais je sentis	j'ai senti j'avais senti	je sentirai je sentirais
servir *to serve* servant servi	je sers tu sers il/elle/on sert nous servons vous servez ils/elles servent	je servais je servis	j'ai servi j'avais servi	je servirai je servirais
sortir *to go out* sortant sorti	je sors tu sors il/elle/on sort nous sortons vous sortez ils/elles sortent	je sortais je sortis	je suis sorti(e) j'étais sorti(e)	je sortirai je sortirais

Infinitif *Infinitive*	**Présent** *Present*	**Imparfait** *Imperfect*	**Passé composé** *Perfect*	**Futur** *Future*
Participes *Participles*		**Passé simple** *Past historic*	**Plus-que-parfait** *Pluperfect*	**Conditionnel** *Conditional*
souffrir	je souffre	je souffrais	j'ai souffert	je souffrirai
to suffer	tu souffres			
	il/elle/on souffre			
souffrant	nous souffrons	je souffris	j'avais souffert	je souffrirais
souffert	vous souffrez			
	ils/elles souffrent			
sourire, *to smile* – see **rire**				
se souvenir de, *to remember* – see **venir**				
suivre	je suis	je suivais	j'ai suivi	je suivrai
to follow	tu suis			
	il/elle/on suit			
suivant	nous suivons	je suivis	j'avais suivi	je suivrais
suivi	vous suivez			
	ils/elles suivent			
surprendre, *to surprise* – see **prendre**				
se taire	je me tais	je me taisais	je me suis tu(e)	je me tairai
to be quiet	tu te tais			
	il/elle/on se tait			
taisant	nous nous taisons	je me tus	je m'étais tu(e)	je me tairais
tu	vous vous taisez			
	ils/elles se taisent			
tenir	je tiens	je tenais	j'ai tenu	je tiendrai
to hold	tu tiens			
	il/elle/on tient			
tenant	nous tenons	je tins	j'avais tenu	je tiendrais
tenu	vous tenez			
	ils/elles tiennent			
traduire, *to translate* – see **conduire**				
vaincre	je vaincs	je vainquais	j'ai vaincu	jevaincrai
to defeat, beat	tu vaincs			
	il/elle/on vainc			
vainquant	nous vainquons	je vainquis	j'avais vaincu	je vaincrais
vaincu	vous vainquez			
	ils/elles vainquent			
valoir	je vaux	je valais	j'ai valu	je vaudrai
to be worth	tu vaux			
	il/elle/on vaut			
valant	nous valons	je valus	j'avais valu	je vaudrais
valu	vous valez			
	ils/elles valent			

Infinitif *Infinitive* **Participes** *Participles*	**Présent** *Present*	**Imparfait** *Imperfect* **Passé simple** *Past historic*	**Passé composé** *Perfect* **Plus-que-parfait** *Pluperfect*	**Futur** *Future* **Conditionnel** *Conditional*
venir *to come* venant venu	je viens tu viens il/elle/on vient nous venons vous venez ils/elles viennent	je venais je vins	je suis venu(e) j'étais venu(e)	je viendrai je viendrais
vivre *to live* vivant vécu	je vis tu vis il/elle/on vit nous vivons vous vivez ils/elles vivent	je vivais je vécus	j'ai vécu j'avais vécu	je vivrai je vivrais
voir *to see* voyant vu	je vois tu vois il/elle/on voit nous voyons vous voyez ils/elles voient	je voyais je vis	j'ai vu j'avais vu	je verrai je verrais
vouloir *to want* voulant voulu	je veux tu veux il/elle/on veut nous voulons vous voulez ils/elles veulent	je voulais je voulus	j'ai voulu j'avais voulu	je voudrai je voudrais

Vocabulaire français–anglais

A

(aux) Antilles *(f)* (in/to the) Caribbean
d' abord first
abrité(e) screened, shaded
abruti(e) stupid
être d' accord to be in agreement
accueillir to welcome, receive
faire des achats to go shopping
acheter to buy
un(e) adhérent(e) member
admettre to admit
adroit(e) skilful, deft
un(e) adversaire opponent
affronter to face up to, confront
agacer to annoy
un agenda diary
un(e) agriculteur/trice farmer
une aide familiale home help
un aigle eagle
une aiguille needle
ailleurs elsewhere
aimable kind
aîné(e) older, elder
ajouter to add
les alentours surroundings, neighbourhood
un aliment food
(en) Allemagne (in/to) Germany
l' allemand *(m)* German language
une allure look, appearance
alors then
un amateur de lover of
améliorer to improve
amer/ère bitter
s' amoindrir weaken
une ampoule light bulb; blister
un an year
ancien(ne) (before noun) former; (after noun) ancient
anémié(e) anaemic
l' angoisse *(f)* anxiety
animé(e) lively
une année year
les annonces immobilières *(f pl)* property ads
à l' appareil on the line
apprendre to learn
un(e) apprenti(e) apprentice
un apprentissage apprenticeship
l' après-midi *(m/f)* afternoon
une armoire wardrobe
s' arrêter to stop
l' arrivée arrival
un ascenseur lift
un aspirateur vacuum cleaner
un atelier workshop
attirer to attract
(ne) aucun(e) none, no
augmenter to increase
aussi also, too; as
un auteur author
autrefois in the past, before
(en) Autriche (in/to) Austria
autrui others
avant before
avare mean
un avenir future
avide greedy
(à mon) avis *(m)* (in my) opinion
un avocat lawyer
avoir to have

B

se bagarrer to fight
la baie de genièvre juniper berry
la baignoire bath (tub)
le bain-marie bain-marie (dish filled with water for cooking in oven)
baisser to lower
la banlieue suburbs
bas(se) low
de bas âge young
les baskets *(f pl)* trainers
le bâtiment building
battre to beat
bavard(e) talkative
bavarder to chat
(en) Belgique (in/to) Belgium
avoir besoin de to need
la bêtise stupidity
le béton concrete
bientôt soon
la bille marble
le billet note; ticket
bizarre odd
tu blagues! you're kidding!
la boisson drink
la boîte box, tin; night club
les bottines *(f pl)* boots
la bouche mouth
la boucle curl; buckle; loop
bouclé(e) wavy
bouder to sulk
la boue mud
la bouffée puff
bouger to move
bouilli(e) boiled
un boulanger baker
le boulot *(slang)* job, work
la boum *(slang)* party
la bousculade rush, crush
la boussole compass
au bout de at the end of
le bouton button; spot
le brevet certificate
bricoler to do odd jobs/DIY
la broderie embroidery
la brousse bush
le bruit noise
brûler le feu rouge to jump the red light
bruyant(e) noisy
le bulletin report
le but aim, goal
le/la buveur/se drinker

C

la cabine fitting room; phone booth
le cabinet médical surgery
la cacahuète peanut
se cacher to hide
le cadeau present
le cadre context
le caméscope camcorder
le camion lorry
le canard duck
le car de ramassage school bus
à carreaux checked
le carrefour crossroads
la carte routière road map
la case box
le casse-pieds nuisance, pain in the neck
casser to break
casser les pieds à quelqu'un to get on somebody's nerves
la ceinture belt
célèbre famous
célibataire single
le cendrier ashtray
le centre aéré outdoor centre
le/la céramiste ceramist
cérébral(e) cerebral, of the brain
le cerveau brain
ceux/celles qui those who/which

le chahut uproar
la chaleur heat
chaleureux/se warm
se chamailler to bicker
la chambre d'hôte bed and breakfast
le champ field
le chantier building site
chaque each
la chasse hunting
le chauffage heating
le chauffagiste heating engineer
la chaussure shoe
la chemise shirt
le chemisier blouse
les cheveux *(m pl)* hair
chiant(e) *(slang)* damned annoying
le chiffre figure, number
chimique chemical
(en) Chine (in/to) China
choisir to choose
le choix choice
au chômage unemployed
la chose thing
le chou cabbage
la choucroute sauerkraut
le chou-fleur (*pl* choux-fleurs) cauliflower
le/la cinéaste film-maker
le/la citoyen(ne) citizen
la claque smack
le clignotant indicator
la cloche bell
le clou de girofle clove
cocher to tick
la cocotte-minute pressure cooker
le coeur heart
le coin corner
collant(e) clinging
coller to stick
le collier necklace
la colonie de vacances children's holiday camp
combien how many
la commande order
commencer to start
commenter to discuss, comment on
le/la commerçant(e) tradesperson
la commune rurale rural district
se complaire à to take pleasure in
comporter to consist of
se comporter to behave
comprendre to understand
le comprimé tablet
y compris including
compter to count
le concours competition
conduire to drive
la confection (off the peg) clothes, fashions
la confiance confidence
se confier à (quelqu'un) to confide in (someone)
la confiserie sweets
le congé holiday
les connaissances *(f pl)* people one knows
connaître to know
connu(e) known
consacrer à to devote to, spend on
le Conseil council
conseiller to advise, suggest
les conseils *(m pl)* advice
le consommateur consumer
le contenu contents
contre against
convenable acceptable, suitable
les coordonnées *(f pl)* details, name and number
coriace tough
le corps body
corrigé(e) corrected
la couche layer
la couenne bacon rind
la couette duvet, continental quilt
couiner to whine
d'un seul coup all at once
le coup d'oeil glance
la cour yard, playground
le coureur de jupons womaniser
le cours class, lesson, course; exchange rate
la course race
le couteau knife
la craie chalk
craquer to crunch, crack
la cravate tie
créer to create
crevé(e) punctured
croire to believe
croiser to pass, meet (by chance)
cru(e) raw
la cuiller spoon
en cuir made of leather
cuire to cook
la cuisine kitchen; cookery
le/la cuisinier/ière cook
cuit(e) cooked

D

le danois Danish language
le dauphin dolphin
débarrasser to clear
débordant(e) (de) overflowing (with)
débraillé(e) untidy, scruffy
au début at the beginning
la décharge discharge
décongeler to defrost
découvrir to discover
décrire to describe
décrocher to pick up (telephone)
défaire to unpack
la défense defence; tusk (of elephant)
les dégâts *(m pl)* damage
dégoûtant(e) disgusting
dégoûter to disgust
dégueulasse *(slang)* revolting
le déguisement fancy dress
dehors outside
démontrer to show, demonstrate
le dentifrice toothpaste
dépasser to exceed
dépenser to spend
en dépit de despite
déprimé(e) depressed
depuis for, since
déranger to disturb
déraper to skid
dernier/ière last
derrière behind
dès from
désemparé(e) distraught
être désolé(e) to be sorry
le dessin drawing, art
la détente relaxation
le deux-roues two wheeler
devant in front of
devenir to become
la devise currency
devoir to have to, must
les devoirs *(m pl)* homework
le dévouement devotion, dedication
digne (de) worthy (of)
diriger to run, be in charge of
discuter to discuss
se disputer to argue
dissiper to disperse, clear away
le divertissement entertainment
les dommages *(m pl)* damage
donc so, therefore

la **doudoune** down jacket
doué(e) (de) gifted (with)
doux/ce gentle, sweet
le **dramaturge** playwright
le **drap** sheet
le **drapeau** flag
le **droit** right; law
drôle funny
dur(e) hard
durer to last

E

l' **eau** *(f)* water
un **écart** gap
une **écharpe** scarf
les **échecs** *(m pl)* chess
une **éclaircie** bright interval, sunny spell
économiser to save (up)
écossais(e) Scottish, tartan
un **écran** screen
un **écrivain** writer
l' **écume** *(f)* scum
une **écurie** stable
effectuer to do, carry out
effilé(e) sharpened
également also, too
un **égout** sewer
égoutter to drain
l' **électrotechnique** *(f)* electrical engineering
s' **éloigner** to distance oneself, go away
élu(e) elected
l' **emballage** *(m)* wrapping, packaging
emballer to wrap up
une **émission** (TV/radio) programme
empêcher to prevent
s' **empêtrer** to get caught up
un **emplacement** site
un **emploi** job
emporté(e) quick to get angry
l' **encaustique** *(f)* polish
l' **encre** *(f)* ink
encroûté(e) in a rut
s' **endormir** to fall asleep
un **endroit** place
s' **énerver** to get angry
l' **enfer** *(m)* hell
s' **engager** to commit oneself
enlever to remove
ennuyeux/se boring
une **enquête** inquiry
un(e) **enquiquineur/se** pest, nuisance
enregistrer to record
être **enrhumé(e)** to have a cold
enrichissant(e) fulfilling
l' **enseignement** *(m)* teaching, education
ensuite then
s' **entendre** to get on
enterrer to bury
entêtant(e) heady
l' **entêtement** *(m)* stubbornness
entier/ière whole
entraîné(e) dragged along
s' **entraîner** to train
une **entrée** entry
une **entreprise** company, firm
envahir to invade
à l' **envers** on the other side; back to front
avoir **envie (de)** to feel like
environ about
aux **environs (de)** in the region (of)
s' **envoler** to fly away
envoyer to send
épeler to spell
les **épinards** *(m pl)* spinach
éplucher to unwrap, peel
une **épreuve** test, paper; (sporting) event
épris(e) smitten, in love
équilibré(e) balanced
une **équipe** team
un **érable** maple
un **escargot** snail
(en) **Espagne** (in/to) Spain
l' **espagnol** Spanish language
un **esprit** spirit
essayer to try
l' **essence** *(f)* petrol
l' **essuie-glace** *(m)* windscreen wiper
essuyer to wipe
un **établissement** establishment
un **étage** floor
une **étape** stage (in a race, etc.)
un **état** state
(aux) **Etats-Unis** *(m pl)* (in/to the) United States
une **étiquette** label
une **étoile** star
étranger/ère foreign
un(e) **étranger/ère** foreigner
à l' **étranger** *(m)* abroad
être to be
étriqué(e) tight fitting
les **études** *(f pl)* schooling, studies
étudier to study
évidemment of course
éviter to avoid
évoquer to evoke, remind someone (of something)
exigeant(e) demanding
expliquer to explain
extensible extendable

F

fabriquer to produce
se **fâcher** get angry
facile easy
faible weak
faire to do, make
faire le ménage to do the housework
fantaisiste fanciful, fantasy
fariner to dust with flour
le **fat** smug or conceited person
il **faut** you have to/must
le **faux-filet** sirloin steak
le **faux-semblant** sham, pretence
félicitations! congratulations!
la **femme** woman
la **fenêtre** window
le **fer** iron
la **fermeture** closing
la **fermeture éclair** zip
la **fête foraine** funfair, carnival
le **feuilleton** serial, soap opera (TV)
les **feux** *(m pl)* traffic lights
la **fiche** form
s'en **ficher** not to care less
fidèle faithful
le **fier-à-bras** braggart
fier/fière proud
la **fierté** pride
le/la **fils/fille unique** only child
la **fin** end
finir to finish
flairer to scent, smell
le **fleuve** river (flowing into sea)
le **flirt** boyfriend/girlfriend
flirter to flirt
le **foie** liver
la **fois** time
foncé(e) dark
foncer to charge
la **force** strength
la **formation** training
la **formule** formula; set menu

fort(e) en good at
le **fouet** whisk, whip
fouetter to whisk
fougueux/se fiery
fouiller to search, rummage through
le **fouillis** muddle, mess
la **fouine** snooper
le **four** oven
le/la **fourbe** deceitful rogue
fourrer *(slang)* to stick, put
le **foyer** entrance hall, home
les **frais** *(m pl)* costs
la **frange** fringe
frappant(e) striking
frapper to hit, strike
le **frein** brake
le **frère** brother
les **fringues** *(f pl)* *(slang)* gear, clothes
frisé(e) curly
le **fromage** cheese
le **front** forehead
la **fumée** smoke
fumer to smoke

G

la **gaffe** blunder
le/la **gagnant(e)** winner
gagner to win
le **gallois** Welsh (language)
le **gant** glove
le **garçon d'étage** bootboy
le **garçon d'honneur** best man
garder to look after, keep
la **gare** railway station
la **gare routière** bus station
le **gars** *(slang)* lad
le **gaspillage** waste
gaspiller to waste
gémir to groan
gêné(e) embarrassed
gêner to embarrass, bother
génial! great!
le **genre** type
la **glace** ice, ice-cream
le **glaçon** ice cube
glisser to slide, slip
se **goinfrer** *(slang)* to make a pig of oneself
la **gomme** rubber
la **gorge** throat
le/la **gosse** kid
le **goût** taste
le **goûter** snack, tea
la **grande surface** hypermarket
grossir to get fat, put on weight
le **guêpier** wasp's nest
la **guerre** war

H

s' **habiller** to get dressed, dress
un(e) **habitant(e)** inhabitant
d' **habitude** usually
habitué(e) à used to
s' **habituer à** to get used to
hacher to chop up, mince
harceler to harass
un **Harpagon** Scrooge
en **hausse** on the increase
haut de gamme up-market
la **hauteur** height
le **haut** top, height
heurter to hit, run into
se **hisser** to haul oneself up
le **hollandais** Dutch language
un **homme** man
un(e) **horticulteur/trice** gardener
humiliant(e) humiliating

I

idolâtrer to idolise
une **image** picture
l' **immatriculation** *(f)* registration number
un **immeuble** block of flats
l' **immobilier** *(m)* property, real estate
s' **impatienter** to be/get impatient
impitoyable pitiless
impuissant(e) impotent
inconnu(e) unknown
un **inconvénient** drawback, disadvantage
l' **informatique** *(f)* computer studies, computing
ingrat(e) thankless, ungrateful
inquiéter to disturb, worry
s' **inquiéter** to be/get worried
inquiet/iète worried
un(e) **instituteur/trice** primary school teacher
insuffisant(e) inadequate, poor
interdire (qch à quelqu'un) to forbid (someone to do something)
interpréter to play (a role)
inutile useless, pointless

J

ne **jamais** never
le **jambon** ham
en **jean** made of denim
jeune young
joli(e) pretty
le **jour** day
le **journal** newspaper
la **journée** day
jumeau/elle twin
jumelé(e) twinned
la **jupe** skirt

L

laid(e) ugly
en **laine** woollen
laisser faire (quelqu'un) to give (someone) a free rein
laitier/ière dairy
le **lard de poitrine fumé** smoked streaky bacon
large wide
larmoyer to water, run (eyes)
le **lavabo** wash basin
la **laverie automatique** launderette
la **leçon de conduite** driving lesson
la **lecture** reading
le **légume** vegetable
le **lendemain** next day
la **lessive** washing, laundry, washing powder
se **lever** to get up
la **librairie** bookshop
libre free
avoir **lieu** to take place
en **ligne** on the (other) line
le **linge** washing, laundry
lisse soft
livrer to deliver
le **livret** booklet
la **logistique** logistics
loin far
longtemps (for) a long time
le **lotissement** housing estate
lourd(e) heavy (going)
le **loyer** rent
le **lycée** grammar school

M

le **maçon** builder
le grand **magasin** department store
le **maillot** cycling vest, sports shirt, swimsuit
maintenant now

la **mairie** town hall
le **maïs** maize
le **maître nageur** swimming instructor
donner mal au coeur (à quelqu'un) to make (someone) feel sick
le/la **malade** invalid, ill person
maladroit(e) clumsy
malin(e) crafty, clever
la **manche** sleeve
la **Manche** Channel
manquer (de) to lack
la **marche à pied** walking
marrant(e) funny
j'en ai marre! I'm fed up with it!
le **marronnier** chestnut tree
la **matière** subject
le **matin** morning
mauvais(e) bad, wrong
la **méchanceté** spitefulness
méchant(e) malicious, spiteful, naughty
le **mélange** mixture
mélanger to mix
le **mépris** scorn
mercredi Wednesday
mériter to deserve
le **métier** job, trade
mettre to put, put on (clothes)
le **meuble** piece of furniture
le **meurtre** murder
à mi-temps part-time
le **miel** honey
mieux better
le **mieux** best
mille thousand
mince slim
moche awful, ugly
le/la **modéliste** designer
moins less
au moins at least
le **moins** least
moitié ... moitié ... half ... and half ...
le **monde** world
la **monnaie** change, currency
la **montgolfière** hot air balloon
se moquer de to make fun of, laugh at
la **mosquée** mosque
mourir to die
le **mousquetaire** musketeer
le **mouton** sheep
le **moyen (de)** way, means (of)
moyen(ne) average, medium
la **moyenne** average
le **mur** wall

N

la **naissance** birth
naître to be born
le **naufrage** shipwreck
(je suis) né(e) (I was) born
néfaste harmful
la **neige** snow
neuf/neuve new
névrosé(e) neurotic
le **niveau** level, class
la **noix** walnut
le **nom** name, noun
(en) Norvège (in/to) Norway
la **note** mark
nourrir to feed
la **nourriture** food
nouveau/elle new
le **noyau** stone, kernel
nul(le) useless, awful
le **numéro de poste** extension number
la **nuque** nape of the neck

O

occuper to take up (space)
l' **odeur** smell
un **oeil** (*pl* **yeux**) eye
mon oeil! my foot! pull the other one!
une **oeuvre** work (of art)
une **oie** goose
un **oiseau** bird
un **ongle** fingernail
opiniâtre opinionated
un **orage** storm
un **ordinateur** computer
les **ordures** *(f pl)* rubbish
une **oreille** ear
un **oreiller** pillow
l' **orientation** *(f)* direction, specialisation
l' **orthographe** *(f)* spelling
un **os** bone
oser to dare
oublier to forget
un **ours** bear
ouvrier/ière worker

P

le **palmier** palm tree
le **panier** basket
le **panneau** (road) sign
le **pansement** dressing, bandage
le **pantalon** pair of trousers
le **papier hygiénique** toilet paper
le **parapente** paragliding
parce que because
pareil(le) the same
paresseux/se lazy
parmi among
la **parole** word
parsemer (de) to sprinkle (with)
de la part de qui? who is speaking?
partager to share, divide
à partir de from
partout everywhere
la **passade** passing fancy
passer to spend (time), pass
passionnant(e) fascinating
patienter to wait
le/la **patron(ne)** owner, boss
le **pavillon** (suburban) house
le **pays** country, countryside
(aux) Pays-Bas (in/to the) Netherlands
le **paysage** scenery, countryside
la **pêche** fishing; peach
le/la **pédiatre** children's doctor
le/la **peintre** painter
la **peinture** painting
peler to peel
la **pellicule** film (for camera)
la **peluche** soft toy
la **pelure** peel, skin
pendant during
le **pendentif** pendant
penser to think
perdre to lose
permettre (à quelqu'un de ...) to allow, enable (someone to ...)
personne (ne ...) nobody
la **perte** loss
le/la **petit(e) ami(e)** boyfriend/girlfriend
la **petite annonce** small ad
le **pétrolier** oil tanker
la **pièce de théâtre** (theatre) play
le **piège** trap
la **pile** battery
la **pince à ongles** nail clippers
la **pincée** pinch
piquer to nettle, sting
la **piscine** swimming pool

la plage beach
se plaindre to complain
plaire (à quelqu'un) to please (someone)
plaisant(e) pleasant, amusing
la plaque chauffante hotplate
la plaquette block, pat (of butter)
pleurer to cry
plier to fold
le plombier plumber
la plongée (sous-marine) (scuba) diving
le/la plongeur/se washer up
la plupart (de) most (of)
le plus the most
plutôt rather
le poids weight
le poignet wrist, cuff
la pointure (shoe) size
le polar detective story/film
(en) Pologne (in/to) Poland
le polonium polonium
polyvalent(e) able to do many different jobs
la pomme apple
la pomme de terre potato
les pommes allumettes French fries
les pommes vapeur boiled potatoes
le pommier apple tree
le pont bridge
le portefeuille wallet
porter to wear, carry
le portrait-robot photo-fit picture
posséder (une matière) to master (a subject)
le potage soup
le poulet chicken
le pouls pulse
le poumon lung
pour for
le pourboire tip
poursuivre to follow, pursue
pourtant however, but
faire pousser to grow
poussiéreux/se dusty
pouvoir to be able to
préconisé(e) recommended
préféré(e) favourite
la prèle horsetail (herb)
prendre to take
prendre garde à to be careful of, watch out for
prendre la relève to take over (from someone)
le prénom Christian name
le préservatif condom
la pression pressure; draught beer
prêter to lend
se prévaloir de to take advantage of
le prix price; prize
profiter (de) to take advantage (of)
promettre to promise
le promontoire promontory
le pronom pronoun
proposer to offer
propre clean
protéger to protect
le pull chaussette ribbed pullover

Q

le quai bank (of a river), quayside
le quart d'heure quarter of an hour
faire les quarts to work shifts
quelque chose something
quelquefois sometimes
quelqu'un someone
la queue tail; queue
la quincaillerie hardware shop
quitter to leave

R

le rabat-joie killjoy
le racket bullying
raconter to tell (story)
avoir raison to be right
avoir raison de quelqu'un to get the better of someone
la randonnée walk, ramble, hike
ranger to tidy; put away
le rapport relationship
rater to miss
être ravi(e) to be delighted
le rayon department; shelf
réagir to react
recevoir to receive
la recherche research, search
la récompense reward
réconfortant(e) comforting
reconnaissant(e) grateful
reconnaître to recognise
la récré break, playtime
être reçu(e) à to pass (an exam)
reculer to reverse, step back
la rédaction editing, editorial team
redémarrer to restart an engine
rédiger to write, compose, edit
redoubler to repeat a school year
se refermer to close again
le régime diet
la règle ruler
les reins *(m pl)* kidneys, small of one's back
se faire remarquer to stand out
rembourser to refund
remercier to thank
s'en remettre à quelqu'un to leave something in someone's hands
remplacer to replace
rempli(e) de full of, filled with
remplir to fill
remuer to stir, move
rencontrer to meet
le rendez-vous meeting, appointment
renifler to sniffle
les renseignements *(m pl)* information
rentrer to get home
le repassage ironing
repasser to iron
le répondeur answering machine
la réponse reply
résoudre to resolve
le/la responsable person in charge
ressembler à (quelqu'un) to resemble, look like (someone)
ressentir to feel
en retard late
la retraite retirement
se retrouver to meet (up)
la réunion meeting
réussir to succeed
le rêve dream
rêver to dream
le rez-de-chaussée ground floor
le rideau curtain
rigoler to laugh
rigolo funny, comical
rire to laugh
le rire laugh
la robe dress
le robinet tap
les Rocheuses *(f pl)* the Rockies
le roman novel

romanesque romantic
la roue wheel
rougir to blush
le rouleau roll
(au) Royaume-Uni (in/to the) United Kingdom
la ruche beehive
la rumeur rumour

S

le sac à dos rucksack
sain(e) healthy
sale dirty
le sang blood
la santé health
satisfaisant(e) satisfactory
sauf unless, except
le saut à la corde/à l'élastique bungee jumping
sauvage wild
le sauveteur lifeguard
savoir to know
la savonnette bar of soap
se tromper to make a mistake
le seau bucket
au sein de within
le séisme earthquake
le séjour stay
selon according to
la semaine week
la sensibilité sensitivity
sentir to feel; smell
se serrer (of heart) to flutter, feel a pang
la serviette towel
le siège seat; headquarters
siffler to whistle
le singe monkey
la société company
la soeur sister
en soie made of silk
avoir soif to be thirsty
soigner to look after, nurse
le soir evening
la soirée evening
le sommeil sleep
le souci worry
le souffle breath
souhaiter to wish
souligner to underline
la soupape value
se souvenir (de) to remember
le sparadrap sticking plaster
sportif/ve sporty
le stage course
le/la stagiaire trainee
le/la standardiste telephonist
subir to suffer
sucer to suck
(en) Suède (in/to) Sweden
suggérer to suggest
tout de suite immediately
suivre to follow
surtout above all, especially
surveillant(e) de baignade lifeguard
survivre to survive
le syndicat d'initiative tourist information office

T

le tabagisme addiction to smoking
la tablette bar (of chocolate)
la tache mark, stain
la taille height, (clothes) size, waist
le taille-crayon pencil sharpener
tandis que while
taper to type
tapisser to line
tard late
la tartine slice of bread and butter
le taux rate
le/la technicien(ne) de surface floor cleaner
tel(le) such
tellement so; so much
la tentative attempt
le terrain pitch, court
le terrain de sport sports ground
le tiédeur warmth
le tiers third
le tilleul lime
le timbre stamp
le tiroir drawer
la tisane herbal tea
le tissu fabric
tomber amoureux/se (de) to fall in love (with)
tôt early
toujours still, always
la tour tower
le tour turn
tourner un film to shoot a film
tousser to cough
tracer trace
se traîner to hang around, drag oneself along
le trajet journey
la tranche slice, layer
le travail work
travailler to work
travailler à mi-temps to work half-time
les travaux légers *(m pl)* small jobs
les travaux ménagers *(m pl)* housework
à travers across
la traversée crossing
trempé(e) soaked
le tricotage knitting
trimestriel(le) termly
la trisaïeule great-great-grandmother
se tromper to make a mistake, be mistaken
trop too
le trou hole
la trousse pencil case
la trousse de premiers secours first-aid kit
trouver to find
se trouver to be situated
le truc thing
tutoyer to use the **tu** form

U

une usine factory
utile useful
utiliser to use

V

la vaisselle crockery, washing up
varié(e) varied
vautré(e) slouched
la veille the day before
le/la vendeur/se salesperson
le ventre stomach, belly
vérifier to check
le verre glass
verser to pour, shed (tears)
la veste jacket
les vêtements *(m pl)* clothes
vieillir to grow older
la viennoiserie bread and buns
le visage face
vite quickly
vivre to live
la voiture car
la voix voice
voler to steal, to fly
vouloir to wish, want
vouvoyer to use the vousform
vrai(e) correct, true

W

le wapiti wapiti (type of moose)

Y

les yeux *(m pl)* eyes

Vocabulaire anglais–français

Starred words are verbs. The French translations are given in the infinitive and the past participle: **ajouter/ajouté**. If a verb takes **être** in the perfect and the past participle agrees with the subject, this is shown as follows: **aller/allé(e)**. To indicate the gender (masculine/feminine) of French nouns, the definite article (**le/la**) is usually given, but for those which begin with a vowel the indefinite article (**un/une**) is given where appropriate.

A

a un/une
* **to be able** pouvoir/pu
I can je peux
* **to add** ajouter/ajouté
advantage un avantage
(I am) afraid of (j'ai) peur de
after après
afternoon un(e) après-midi
again encore une fois
against contre
agreed d'accord
I agree je suis d'accord
alone seul(e)
also aussi
* **to annoy** énerver/énervé
another encore un(e)
they are ils/elles sont (*from* être)
are you? es-tu? êtes-vous? (*from* être)
* **to arrive** arriver/arrivé(e)
* **to ask** demander/demandé
average moyen(ne)

B

bad mauvais(e)
bag le sac
* **to be** être/été
beautiful/nice beau/belle
because parce que
bedroom la chambre
before avant
behind derrière
* **to believe** croire/cru
beside à côté de
better mieux, meilleur(e)
between entre
boss le/la chef
boy le garçon
boyfriend le petit ami
building site le chantier
busy occupé(e)
but mais
* **to buy** acheter/acheté

C

camera un appareil (-photo)
* **to carry/wear** porter/porté
career le métier
careers advice l'orientation *(f)*
cellar la cave
(I am) cold (j'ai) froid
the cold le froid
country (= countryside) la campagne; **(= state)** le pays

D

day le jour, la journée
dear cher/chère
* **to deliver** livrer/livré, distribuer/distribué
department (in a firm) le service; **(in a shop)** le rayon
(it) depends (ça) dépend (*from* dépendre)
disadvantage un inconvénient
* **to do** faire/fait
* **to drink** boire/bu

E

each/every chaque
each one chacun(e)
* **to eat** manger/mangé
especially surtout
evening le soir, la soirée
this evening ce soir
every day tous les jours
except sauf
excuse me pardon
* **to explain** expliquer/expliqué
extension (phone) le poste

F

factory une usine
far loin
fat gros(se)
favourite préféré(e)
field le champ
* **to fill** remplir/rempli
fir tree le sapin
firm la société, l'entreprise *(f)*
first premier/première
on the first floor au premier étage
flower la fleur
for (me) pour (moi)
forest la forêt
free (= without ties) libre; **(= no charge)** gratuit(e)
friend le copain/la copine, un(e) ami(e)
in front of devant

G

* **to get by** se débrouiller/débrouillé(e)
I got by je me suis débrouillé(e)
* **to get on** s'entendre/entendu
we get on well nous nous entendons bien
girl la fille
girlfriend la petite amie
* **to give** donner/donné
* **to go** aller/allé(e)
I go je vais
* **to go out** sortir/sorti(e)
I go out je sors
good bon(ne)
graph le graphique
ground floor le rez-de-chaussée

H

* **to have** avoir/j'ai eu
I have j'ai
I haven't a ... je n'ai pas de ...
have you? as-tu? avez-vous?
* **to have to** devoir/j'ai dû
I have to je dois
you have to il faut
(I have a) headache (j'ai) mal à la tête
he il
* **to help** aider/aidé
her son/sa/ses
his son/sa/ses
home/at my house chez moi
horse le cheval (*pl* chevaux)
house la maison
how? comment?
(I am) hungry (j'ai) faim

I

if si
ill malade
immediately tout de suite
in dans
in France/in Canada en France/au Canada
is est (*from* être)

J

job un emploi

L

lake le lac
* **to laugh** rire/j'ai ri
I laugh je ris
lazy paresseux/se
* **to leave** (= **depart**) partir/parti(e); (= **leave behind**) laisser/laissé
on the left à gauche
less moins
* **to like/love** aimer/aimé
I love you je t'aime
* **to listen** écouter/écouté

M

man un homme
managing director le P.D.G.
* **to meet** se retrouver/retrouvé(e)
we'll meet on se retrouve
it's mine c'est à moi
meeting une réunion, un rendez-vous
money l'argent *(m)*
more plus; encore; davantage
morning le matin, la matinée
mother la mère
* **must = to have to** (devoir)
my mon/ma/mes

N

near près de
(I) need (j'ai) besoin de
news les actualités
next (= **following**) prochain(e); (= **then**) puis
next to à côté de
night la nuit
now maintenant

O

office le bureau
on sur
only seulement
open ouvert(e)
in my opinion selon moi, à mon avis
opposite en face du/de la/des
or ou

P

pardon? comment?
part-time à mi-temps
perhaps peut-être
* **to play** jouer/joué
please s'il te/vous plaît
present le cadeau (*pl* cadeaux)
programme (TV/radio) une émission
* **to put (on)** mettre/mis
I put (on) je mets

Q

quite assez

R

rain la pluie
* **it's raining** il pleut
* **it was raining** il pleuvait
* **to read** lire/lu
* **to return** rentrer/rentré(e)
right/correct vrai(e)
on the right à droite
river la rivière/le fleuve
rough book le cahier de brouillon

S

* **to say** dire/dit
sea la mer
at the seaside au bord de la mer
* **to see** voir/vu
she elle
short court(e)
* **to sing** chanter/chanté
size (of person/clothes) la taille; **(of shoes)** la pointure
sleeve la manche
small petit(e)
soap le savon, la savonnette; (= **soap opera**) un feuilleton
someone quelqu'un
something quelque chose
son le fils
sorry pardon
* **to stay** rester/resté(e)
still encore, toujours
strong fort(e)
(school) subject la matière
suddenly tout d'un coup
sun le soleil
* **to sunbathe** se bronzer/bronzé(e)
* **to swim** nager/nagé

T

* **to take** prendre/pris
telephonist le/la standardiste
than que; **(with numbers)** de
the le/la/les
their leur/leurs
then puis, alors
there is/there are il y a
thin mince
* **to think** penser/pensé
(I am) thirsty (j'ai) soif
time (once) (une) fois; **(clock)** l'heure *(f)*
tired fatigué(e)
to à
to the à la, au, à l', aux
today aujourd'hui
tomorrow demain
too (much) trop
me too! moi aussi!
towel la serviette
town la ville
town centre le centre-ville
tree un arbre
fir tree le sapin
* **to try** essayer/essayé

U

under sous
unemployed au chômage

V

very très
* **to visit (place)** visiter/visité; **(person)** rendre/rendu visite à

W

* **to wake up** se réveiller/réveillé(e)
I woke up je me suis réveillé(e)
* **to want** vouloir/j'ai voulu
I want je veux
I want to j'ai envie de
warm chaud(e)
I was j'étais (*from* être)
he/she was il/elle était (*from* être)
* **to wash** laver/lavé
* **to wash oneself** se laver/lavé(e)
I washed myself je me suis lavé(e)
waste le gaspillage
* **to watch** regarder/regardé
water l'eau *(f)*
we nous (*verb ends in* -ons), on
* **to wear** porter/porté
weather le temps
week la semaine
well bien
I'm well je vais bien
what is it? qu'est-ce que c'est?
when? quand?
where? où?
which? quel(le)?
white blanc(he)
who? qui?
why? pourquoi?
with avec
without sans
wood le bois
* **to work** travailler/travaillé
worse pire
I would like je voudrais
* **to write** écrire/écrit

Y

yes oui; **(contradicting)** si
yesterday hier
(not) yet (pas) encore
you tu (*verb usually ends in* -s), vous (*verb usually ends in* -ez)
your ton/ta/tes; votre/vos

Les instructions

A deux	In pairs
A l'oral ou à l'écrit	Orally or in writing
A tour de rôle	In turns
Attention à l'orthographe/au passé composé	Watch the spelling/the perfect tense
Chaque partenaire choisit/invente	Each partner chooses/invents
Cherche(z) l'intrus	Find the odd one out
Choisis(sez) des photos pour illustrer les textes	Choose photos to illustrate the texts
Choisis(sez) le bon titre pour chaque image	Choose the right caption for each picture
Choisis(sez) une question et pose(z)-la à douze personnes	Choose a question and ask twelve people
Classe(z) par ordre d'importance/par catégorie	Arrange in order of importance/in categories
Commente ta liste avec un(e) partenaire	Discuss your list with a partner
Commentez vos réponses	Discuss your answers
Compare(z)	Compare
Copie et remplis la fiche/la grille/le texte	Copy and fill in the form/the grid/the text
D'accord ou pas?	Do you/they agree or not?
Décris/Décrivez	Describe
Dessine(z) un camembert/un plan	Draw a pie chart/a plan
Devine(z)	Guess
Donne(z) des conseils/des directions	Give advice/directions
Ecoute(z) et note(z) (les réponses)	Listen and make notes/note the replies
Ecoute(z) et vérifie(z)	Listen and check
Ecris/Ecrivez un petit rapport/un texte/une lettre	Write a short report/a text/a letter
En connais-tu/connaissez-vous d'autres?	Do you know any more?
Enregistre des conseils/une cassette	Record some advice/a cassette
Epelle/Epelez	Spell
Explique(z)	Explain
Fais/Faites des recherches/un sondage	Do some research/a survey
Fais/Faites un glossaire de phrases-clés	Make a glossary of key phrases
Fais/Faites une comparaison/une présentation	Make a comparison/a presentation
Fais/Faites un reportage/un résumé/une liste/ une pub	Write a report/a summary/a list/ an advertisement
Jeu d'imagination	Imagination game
Joue(z) le rôle de ...	Play the role of ...
Lis(ez) et comprends/comprenez	Read and understand
Mets/Mettez les expressions dans les deux catégories	Put the expressions into the two categories
Mets/Mettez les mots dans la bonne colonne	Put the words in the correct column
Note les détails	Note down the details
Posez-vous les questions à tour de rôle	Take turns to ask each other the questions
Prépare ce que tu vas dire	Prepare what you are going to say
Prépare(z) et enregistre(z) un discours/ une présentation	Prepare and record a talk/a presentation
Quels sont les avantages et les inconvénients?	What are the advantages and disadvantages?
Qui est pour et qui est contre?	Who is for and who is against?
Réagis à la lettre	React to the letter
Rédige ton emploi du temps	Write out your timetable
Réponds/Répondez aux questions	Answer the questions
Suggère/Suggérez	Suggest
Travaillez en groupes de quatre	Work in groups of four
Travaillez et enregistrez le dialogue	Act out and record the dialogue
Trouve(z) le dessin qui correspond	Find the corresponding drawing
Vrai ou faux?	True or false?

Phrases utiles

Est-ce que je peux ... ?	May I ... ?
Je ne comprends pas	I don't understand
Il/Elle ne comprend pas	He/She doesn't understand
Je ne le sais pas	I don't know
Est-ce que vous pouvez m'aider?	Can you help me?
Je n'ai pas de ...	I haven't a ...
Il/Elle a pris mon/ma/mes ...	He/She has taken my ...
C'est à quelle page?	Which page is it?
J'ai fini	I have finished
Je n'ai pas fini	I haven't finished
Qu'est-ce que je fais maintenant?	What do I do now?
Comment ça s'écrit en français?	How do you spell that in French?
Qu'est-ce que c'est en anglais?	What is that in English?
J'ai besoin ...	I need ...
d'une feuille de brouillon	some scrap paper
d'un petit dico	a dictionary
d'un(e) partenaire	a partner
d'un livre/d'un crayon	a book/a pencil
d'une cassette/d'une disquette	a cassette/a diskette